D1231198

A-t-on encore besoin des journalistes ?

Manifeste pour un « journalisme augmenté »

Éric Scherer

A-t-on encore besoin des journalistes ?

Manifeste pour un « Journalisme Augmenté »

Presses Universitaires de France

AVERTISSEMENT

Cet ouvrage a été écrit par l'auteur au second semestre 2010, avant de rejoindre France Télévisions dans la nouvelle équipe de direction. Il s'appuie notamment sur ses travaux de veille mondiale et de prospective menés au cours des années précédentes pour l'Agence France-Presse, dans le cadre d'un Observatoire Mondial des Médias « AFP-MediaWatch » (1er blog de l'AFP et Cahiers de Tendances semestriels), destiné à montrer comment les grands médias mondiaux prenaient (ou pas) le tournant numérique.

Ouvrage déjà paru : *La Révolution numérique. Glossaire* (Dalloz, 2009)

Ne fait pas seulement le constat de l'état alarmant des médias traditionnel, mais prescrit également des solutions réfléchies et adaptées aux moyens de consommation et aux technologies modernes pour assurer une transition fluide du journalisme vers le futur

ISBN 978-2-13-058567-1

Dépôt légal — 1re édition : 2011, mai

© Presses Universitaires de France, 2011
6, avenue Reille, 75014 Paris

Les clartés de l'esprit étaient le privilège de l'Église, des princes, des cours et des heureux de la terre ; elles ne descendaient pas dans les dernières zones du peuple. La tête de la société était dans la lumière, les pieds dans l'ombre. Une autre faculté manquait à la parole écrite, la rapidité. Le journalisme, qui la porte avec la promptitude du rayonnement, en quelques heures et en petit volume, d'une extrémité d'un empire à l'autre, ne pouvait pas exister. La parole était livre, jamais page ; elle ne se monétisait pas de manière à circuler de mains en mains dans tout l'univers comme l'obole du jour ; il y avait de grands vides et de longs silences dans l'entretien de l'esprit humain avec lui-même. Les progrès de la vérité, de la science, des lettres, des arts, de la politique étaient lents et suspendus pendant de longues périodes.

ALPHONSE DE LAMARTINE en 1831,
sur l'invention de l'imprimerie par Gutenberg.

Je n'aime pas le télégraphe, les mauvaises nouvelles arrivent trop vite.

Sage indien.

J'appelle journalisme tout ce qui aura moins de valeur demain qu'aujourd'hui.

ANDRÉ GIDE.

Ceux qui prétendent savoir où va le journalisme sont des fumistes, tout est à réinventer.

JEAN-CLAUDE PICARD, directeur des études de l'École de journalisme de l'Université Laval au Québec, octobre 2009.

SOMMAIRE

Sommaire

Sommaire

INTRODUCTION

Pratiquement tout ce qui bouleverse et restructure les médias et les métiers du journalisme d'aujourd'hui n'existait tout simplement pas en l'an 2000 : connexions Internet à haut débit, blogs, podcasts, flux RSS, Google News, Gmail, YouTube, Facebook, Twitter, iTunes, l'univers des applications, les écrans plats, la HD, la 3D, le Wi-Fi, la géolocalisation, les métadonnées, l'iPod, l'Internet mobile, les smartphones, l'iPhone et le BlackBerry, les tablettes, Android, l'iPad, les lecteurs e-book, le streaming vidéo, la télévision connectée…

La crise transformationnelle à laquelle sont confrontés les journalistes des médias d'information, depuis moins de dix ans, est un changement d'époque, aussi monumental que l'arrivée du télégraphe au XIXe siècle ; un séisme du même ordre que l'invention de l'imprimerie pour les clercs de l'église catholique au XVe siècle.

Je souligne « depuis moins de dix ans », car le cœur de la révolution de l'information n'est pas apparu au milieu des années 1990 avec l'arrivée d'Internet – trop rapidement catalogué comme un nouveau support de distribution similaire au Minitel –, mais a surgi dans les années 2003-2004, quand l'ensemble des agents économiques, politiques, sociaux, culturels et le grand public ont réalisé que les barrières à la création et à la distribution de contenus avaient bel et bien disparu.

Plus besoin d'imprimerie pour se faire lire, de stations de radio pour se faire entendre ou de chaînes de télévision pour se faire voir. Le Web contributif, le fameux Web 2.0, a d'un coup remplacé le Web contemplatif. Après un Web de publication et de diffusion, nous profitons tous aujourd'hui d'un Web social de flux, où le temps s'est accéléré et l'espace rétréci. Après avoir été agrégés, les contenus d'informations du Web sont, aujourd'hui, fragmentés, éclatés, puis triés, et seront, demain, personnalisés.

Déstabilisés, les journalistes y auront-ils encore un rôle ? Probablement pas, s'ils choisissent le *statu quo*. À peu près certainement, s'ils réinventent leurs métiers en devenant les filtres indispensables et pertinents du nouvel âge d'or de l'information, dominé par une nouvelle abondance.

La révolution de l'information, c'est donc d'abord la démocratisation de l'écriture publique. Pour les médias classiques, traditionnels, les médias du patrimoine, l'événement technologique de la décennie écoulée est le développement d'outils et de services d'autopublication, faciles d'utilisation et bon marché, dans un univers connecté en permanence (« *Always on!* »). Cette prise de contrôle des moyens de production et de distribution – dont l'usage est baptisé « médias sociaux » – s'est encore accélérée récemment avec l'essor du Web en temps réel, le Web instantané. Les gens délaissent les vieux médias pour se tourner davantage les uns vers les autres, pour échanger via les réseaux sociaux, qui n'en sont qu'à leurs débuts. Chacun a sa propre imprimerie (blog), sa station de radio (podcast) ou sa télévision (YouTube). Chacun contribue à un grand tableau d'affichage nommé Facebook! Chacun va dire et partager ce qu'il sait! Chacun est devenu un média!

Ces nouveaux outils alimentent le partage planétaire de cette denrée essentielle qu'est l'information, carburant de la révolution numérique. Sur la toile, les flux d'information en réseau (*many to many*) ont remplacé la vieille logique des mass media (*one to many*). Ils ne circulent plus de manière verticale et isolée, mais de façon horizontale et reliée. Jusqu'ici, l'information « descendait » des pouvoirs et des grands médias vers chaque foyer individuel. Désormais, elle se propage et s'étend parmi des gens connectés entre eux. Devenue ubiquitaire, cette information circule de plus en plus vite et sous des formes toujours plus différentes.

Le public a vite appris à naviguer, explorer, découvrir, réassembler et publier. Tout le monde est devenu un éditeur! Il n'y a jamais eu autant d'outils et d'appareils pour se mettre en relation avec un aussi grand nombre de sources. Il y a quinze ans, le monde qui arrivait à nous passait par le tamis des médias et des journalistes, qui dictaient aux masses leur choix des contenus. Cet oligopole a vécu. Le journaliste n'est plus seul à dire au monde qui il est. Il n'est plus le seul historien du présent et des évolutions de nos sociétés.

L'information, en infinie abondance et dont la fraîcheur est primordiale, est de plus en plus délivrée en flux, en courants, au fil de l'eau. Elle est morcelée, éclatée, et n'entre plus dans les vieux moules du passé : presse écrite, radio, télévision. Internet a fusionné, absorbé toutes les plates-formes. Ce sont de nouveaux appareils qui décident de son mode de consommation : ordinateurs, tablettes, lecteurs e-book, téléphones mobiles, téléviseurs, etc. Elle n'est même plus stockée dans nos disques durs ou dans des serveurs localisés, mais dans les « nuages ».

Hélas, comme d'autres grandes institutions dépassées du XXe siècle, les médias ont beaucoup de mal à se réinventer. Comme à la Renaissance, une grande période de questionnements remplace une période de révérence.

Chacun sait pourtant aujourd'hui qu'il n'est plus possible de faire comme avant. Chacun sait que le futur, qui arrive plus vite que prévu, ne ressemblera plus à l'époque qui a précédé Internet, le Web 2.0 ou la crise économique.

Notre monde a changé et continue de changer vite : le réseau Internet englobe des parties de plus en plus significatives de nos activités et de nos vies personnelles et professionnelles, qui passent moins par le papier que par l'écran. L'extraordinaire succès des applications, faciles d'utilisation (type iPhone), donne déjà un coup de vieux aux navigateurs, voire aux sites Web eux-mêmes.

Nous devons réinventer nos métiers dans un cadre radicalement nouveau. Et commencer par admettre l'ampleur des mutations dans la production, la diffusion et la consommation d'informations, tout ce qui est au cœur même de l'activité des journalistes.

Voici dix points essentiels de cette révolution de l'information :

1. **La valeur économique d'usage des médias traditionnels s'effondre** au regard des nouveaux comportements d'une société

3

connectée, en plein bouleversement, et face aux offres des nouveaux médias numériques, dont les faibles coûts de distribution diminuent la taille critique. Les ruptures ne sont pas seulement technologiques, elles sont aussi sociétales. Le public n'est plus le même. Il consomme l'information autrement, ailleurs, tout au long de la journée, et auprès de multiples sources. L'accès à l'information et son enrichissement éditorial et technologique prennent le dessus sur le contenu. La technologie est partout dans nos vies quotidiennes, au domicile, au bureau, dans la rue, en vacances.

2. **L'abondance remplace la rareté** : de quelques quotidiens et chaînes de télévision, nous sommes passés à un déluge de sources décentralisées d'informations disponibles, numérisées et souvent gratuites, liées à l'explosion de la création de contenus et à leur partage. La quantité d'informations et d'émetteurs a explosé. L'abondance, conjuguée à l'ubiquité et à l'instantanéité du Web, a fait chuter la valeur de l'information jusqu'ici proposée, même si la demande n'a jamais été aussi grande. Dans cette révolution numérique, le secteur des médias (musique, presse, livre…) perd pied plus vite que le reste de l'économie.

3. **Temps disponible et économie de l'attention** : l'adversaire de la presse n'est pas Internet, mais le temps non disponible, la fragmentation des contenus et la prolifération, tout au long de la journée, des choix et des sollicitations. La bonne nouvelle, c'est que le public passe une partie croissante de son temps sur l'information. Mais celle-ci a tendance à aller de plus en plus vite !

4. **Une économie de la demande remplace une logique de l'offre** (*pull vs. push*). Les niches et services réclamés par l'audience (*anywhere, anytime, anyhow*) remplacent les paquets ficelés généralistes décidés pour eux auparavant en amont par les médias. Désormais, le prime time c'est « *my time* » ! C'est donc tout le temps ! La personnalisation est exigée, le choix « à la carte » remplace le menu. La technologie favorise la possibilité du choix, mais diminue la sérendipité et l'heureux hasard, en augmentant le danger de ne s'intéresser qu'aux sujets qui nous sont familiers.

5. **L'information d'actualité perd aussi de la valeur sociale** (défiance *vs.* confiance) : comme pour d'autres institutions et corps

intermédiaires, constitués, l'autorité et le pouvoir d'influence des journalistes des grands médias sont de plus en plus contestés. Ils ne déterminent plus, seuls, l'agenda de l'information. Un éditorial du *Monde* ou de *Libération* a bien moins d'influence aujourd'hui qu'il y a vingt, dix ou même cinq ans. Les natifs numériques préfèrent accorder leur confiance aux recommandations et consensus de leurs amis et de leurs proches dans leurs réseaux, ou aux experts de leur choix.

6. **Les nouvelles technologies creusent le fossé générationnel dans la société et accroissent les problèmes culturels dans les entreprises de médias.** Pour la première fois aussi dans les médias, les jeunes adultes ne répliquent plus les usages des anciens (lire *Le Monde*). C'est même l'inverse qui se passe (Facebook). Dans ce nouveau monde, les ignorer se fait à ses risques et périls. L'innovation y est la seule assurance-vie.

7. **Internet est le nouveau grand média convergent du XXIe siècle :** médias, informatique et télécommunications sont en train de fusionner à grande vitesse, via le formidable essor de la bande passante, des outils mobiles puissants et des interfaces plaisantes et faciles d'accès. Les contenus médias ne sont plus que des « octets » qui circulent sur un réseau. Les journaux font de la vidéo, les télévisions doivent écrire des articles sur le Web et les radios publient des photos sur leurs sites ! Chacun va sur les plates-bandes des autres. Internet sur soi (et non plus seulement chez soi) rend l'information mondiale ubiquitaire grâce aux smartphones et aux tablettes.

8. **Ouverture *vs*. fermeture :** des logiques de contrôle et de fermeture (Apple et ses applications, Facebook, les opérateurs mobiles…) s'opposent aux mouvements de collaboration, d'interactivité et de contribution (Google, l'*open source*…) et à l'extension de la gratuité.

9. **La concurrence ne vient plus des pairs,** mais de nouveaux acteurs et de centaines de petites unités, flexibles et souvent encore indécelables, qui peuvent vite devenir gigantesques : Google est aujourd'hui la première entreprise média mondiale. Faire plus et mieux avec beaucoup moins de ressources est à l'image des réussites de multiples et légères structures d'information, qui malmènent le règne du journalisme gardien du temple et des médias de masse.

10. La destruction de valeur se fait au pas de charge, les modèles d'affaires sont mis en pièces, de nouveaux acteurs s'emparent de positions, parfois dominantes. Les points d'équilibre du vieux monde disparaissent plus vite que n'apparaissent ceux du nouveau (toujours pas de modèle d'affaires convaincant en ligne), mais la création d'utilité publique est réelle (connaissances, partage, éducation, multiples sources spécialisées…), et la créativité, bien vivante.

LA TRADITION NE CONSTITUE PAS UN MODÈLE ÉCONOMIQUE

Pour les vieux médias traditionnels, qui emploient la majeure partie des journalistes, le principal problème vient des revenus, plus que de l'audience. Cette dernière migre rapidement vers Internet où elle grandit, mais les annonceurs ne la suivent pas. Malheureusement, les journaux sombrent au moment où leur audience globale grandit. Les parts de marché rétrécissent, tout comme leur influence.

La phase de transition et d'expérimentation s'éternise, la fameuse monétisation reste introuvable et, au final, le financement de rédactions de centaines de personnes semble de moins en moins pérenne.

Ces dernières années, le pessimisme des journalistes sur le futur de leur profession a pris un tour nouveau : leurs inquiétudes concernant l'arrivée des nouvelles technologies sont largement passées au second plan, derrière celles liées à la survie économique.

Les rédactions des pays riches ont perdu des dizaines de milliers de journalistes, et en moyenne entre le quart et le tiers de leurs effectifs depuis l'an 2000, affaiblissant un peu plus les capacités des médias traditionnels à remplir leur mission d'information et d'investigation. Leur puissance, leur influence et leur autorité déclinent.

Dès 2007, avant même la crise économique, la convention annuelle des rédacteurs en chef nord-américains s'était tenue sur le thème *« Le journalisme au temps du choléra »*.

« Le mot révolution est rivé dans ma tête. […] Nous vivons une révolution qui menace nos journaux, nos entreprises et les journa-

6

listes […]. Les révolutions sont chaotiques, elles brisent des vies, les révolutions sont violentes », y avait déclaré la présidente de leur association, Charlotte Hall, de l'Orlando Sentinel.

Mais les médias classiques n'innovent pas et continuent trop souvent de proposer les mêmes produits. Le magnat de la presse Rupert Murdoch dresse des forteresses autour de ses contenus et mène la fronde contre Google, accusé de confisquer la mutation vers le numérique, et symbole d'un nouveau monde, si dévastateur pour les vieux modèles, mais si riche de possibilités pour la découverte, les connaissances et le partage.

« Le journalisme, bercé d'illusions sur sa rentabilité et inquiet des nouvelles technologies, a laissé, en ligne, d'autres lui voler opportunité après opportunité », déplorait en 2009 l'institut américain Pew Research Center's Project for Excellence in Journalism.

Car le compte n'y est toujours pas. Loin de là. Quinze ans après l'arrivée d'Internet dans la presse, le Web arrive à peine à représenter 10 à 15 % des revenus des journaux. Impossible de faire vivre les rédactions. Personne ne parvient à monétiser le Web assez vite. Ni aux États-Unis, ni en Europe. Pire : l'objectif de tous (autour de 25 %) n'est pas à portée de main. Seuls quelques sites de contenus de niche ou de portée locale s'en sortent.

Les « fondamentaux » économiques sont plus que jamais en déséquilibre : les revenus baissent en raison de la chute de la diffusion, du recul des audiences sur les vieux supports payants et de la désaffection de la publicité. D'autant que les médias sont soumis à de nouvelles contraintes : vitesse, accès illimité, interaction et attention de très courte durée d'un public sollicité en permanence.

Les médias classiques se retrouvent coincés entre les concurrences de millions d'acteurs individuels, dont les réseaux vont être de plus en plus personnalisés, et des géants aux ressources mille fois plus importantes qu'eux, qui entendent bien profiter de l'appétit du public pour l'information : après Google, Microsoft, Yahoo !, Orange, AOL veulent être des mass media sociaux.

La seule règle qui compte est celle de l'attention : l'argent la suivra où qu'elle aille, mais cela prendra du temps. La publicité rémunérera peut-être un jour des fonctions, des services et des valeurs impossibles à copier (confiance, fiabilité, exactitude, marque, immédiateté, personnalisation, interprétation, « trouvabilité »...).

La tradition ne constituant pas un modèle économique, la bataille pour les modèles d'affaires de demain ne fait que commencer. Car ceux d'aujourd'hui, à bout de souffle, ne parviennent plus à financer les contenus capables de capter l'attention du public du XXIe siècle. Auront-ils le temps de survivre à cette période de transition ?

Chacun, pris de vitesse par la cavalcade technologique et la révolution des usages d'une audience « über-connectée », sent bien que le changement permanent devient la norme dans ces nouveaux territoires inconnus.

L'information est devenue une denrée banale, comme l'eau ou l'air que nous respirons. Pour traverser cette période de transition qui s'éternise sans modèle économique probant, on comprend mieux pourquoi de plus en plus de voix s'élèvent, notamment outre-Atlantique, pour rappeler que l'information indépendante est un « bien public », consubstantiel à la démocratie, et souligner que sa collecte et sa distribution peuvent aussi s'organiser dans un cadre « non-profit ».

Internet et le numérique sont déjà devenus les systèmes les plus importants de distribution de contenus originaux. Dans quelques années, prédit Google, il n'y aura plus de distinction entre les canaux de distribution TV, radio et Web. Et donc plus de différence, en ligne, entre ces médias, ni d'ailleurs avec les journaux et les magazines qui offrent tous de la vidéo. Déjà, les professionnels ne parlent plus « TV », mais de « vidéo » ! Après la musique, la presse et le livre, c'est au tour de la télévision de vivre des ruptures.

Dans le même temps se mettent en place les infrastructures mondiales, pour des connexions de masse, qui accroissent le volume d'informations, accélèrent leur vitesse de circulation et réduisent leur durée de vie dans un Web de plus en plus social, personnalisé et instantané, et où les gens passent de plus en plus de temps.

Internet est désormais sur soi, et plus seulement chez soi. L'Internet mobile va rapidement dépasser l'Internet fixe. Son adoption par la population est huit fois plus rapide. Tout ce que nous faisions à la maison ou au bureau, nous le faisons désormais en déplacement. Dans la rue, les gens ne parlent plus seulement tout seul, mais marchent, penchés en avant, tête baissée, le regard sur leurs écrans d'iPhone ou de BlackBerry. Dans les cafés, les laptops sont ouverts, les tablettes fleurissent dans les avions. Très vite, chacun en aura une. La vidéo est consommée partout, via les smartphones et maintenant les lecteurs e-book en couleur.

Avec les écrans tactiles, les applications iPhone et l'essor hyper-rapide des tablettes, le Web n'est plus seulement un lieu de publication, mais, de plus en plus, un endroit où l'on vit, un environnement présent à chaque instant autour de nous. Pour les 17-34 ans, le premier écran est celui du smartphone, avant même l'ordinateur, et non celui de la télévision.

Les DVD sont obsolètes, les CD jetés par les ados, à peine téléchargés, même les fichiers numériques vieillissent face au streaming. Un téléphone portable n'est plus d'ailleurs un simple appareil, mais un alter ego, une extension de la personnalité, dotée d'une bien meilleure mémoire que l'être humain ! Le smartphone devient le centre de nos vies numériques. Google a presque maîtrisé la traduction simultanée et en direct des conversations téléphoniques. La 3D arrive dans nos télévisions connectées au Web, et bientôt dans nos mobiles…

Oui, le Web, caractéristique d'un monde en réseau, est différent. Et nous n'en sommes qu'à la préhistoire ! Il n'est ni le miracle attendu, ni la panacée aux insuffisances structurelles des médias traditionnels, et surtout pas un simple canal de distribution de plus pour les contenus du passé.

C'est un mécanisme décentralisé et mondial, qui permet à plus d'un milliard de personnes d'être en relation, d'être connectées, de communiquer, de partager, de contribuer et… de s'informer. C'est aussi devenu le support technologique sans lequel, aujourd'hui, les contenus ne valent plus grand-chose ! Des contenus atomisés, des auteurs isolés, qui vont tenter de se regrouper, d'une manière ou d'une autre, probablement par affinités électives, dans un paysage postmédia.

C'est bientôt l'arrivée aux affaires de « la génération M » : les milléniaux mobiles, *multitaskers* et multimédias, nés après la chute du mur de Berlin ! Une génération qui sacrifie du temps de télévision et de publicité, au profit d'un temps d'expression et de relations, dans des médias sociaux en ligne, désormais plus utilisés, dans le monde, que le courrier électronique.

Ces mutants ont grandi sans dépendre des journaux ou de la télévision. Les médias classiques ne se sont pas aperçus des changements sociologiques et technologiques liés à cette nouvelle indépendance, ou n'ont pas voulu les voir. Ils ne sont plus les uniques fenêtres sur le monde ! Nous sommes tous désormais branchés à un nombre incalculable de sources d'informations, inimaginables il y a seulement quinze ans. Les news, les nouvelles ne sont plus ce qui raccorde uniquement à l'évolution de la société. Les grands journaux ne sont plus en mesure de dire quoi penser, ni même de fixer l'ordre du jour des discussions politiques, économiques et sociales.

UNE RÉVOLUTION, PILOTÉE PAR LES JEUNES ET BIEN ACCUEILLIE PAR LE PUBLIC

Quand plus de six cents millions de personnes dans le monde ont une page Facebook, quand plus de quatre milliards de photos ont été postées sur Flickr et que Twitter vaut plus d'un milliard de dollars, chacun sent bien que les médias sociaux ne sont pas qu'une mode.

Tout simplement parce que cette révolution recueille l'adhésion du public.

Cette adhésion du public est un atout majeur car elle montre que l'appétit d'information et de connaissances est énorme. Les audiences Web, y compris des sites d'information, ne font que croître.

La révolution vécue par les médias du patrimoine et les journalistes est bien liée à l'irruption de nouvelles technologies et donc de nouveaux usages, où le poids d'Internet, le grand média de masse convergent de ce début de XXIᵉ siècle, est majeur. Les journaux en papier n'avaient pas changé depuis deux cents ans ! Ces technologies et ces nouveaux usages entraînent un profond changement dans la « relation média », « l'expérience média », et, avant tout, dans la manière très différente dont le jeune public consomme ces médias et s'informe.

C'est un monde où la jeunesse se structure autour d'Internet, des jeux vidéo, des réseaux virtuels, d'univers numérisés, d'espaces sociaux non contrôlés où la crise des médiations s'accentue. Avec des conséquences importantes dans les comportements et les usages, souvent sous-estimées par leurs aînés.

Nous sommes dans un monde où l'industrie des jeux vidéo a dépassé celle du cinéma, et même, celle de la musique ! Un monde non linéaire du remix, dominé par les pixels et l'image, un monde où poussent les « fermes de serveurs », les « usines à contenus », où gravitent des nuages apatrides de données, où l'information en mobilité devient un service addictif.

Un monde tourneboulé dans ses habitudes, où émerge une intelligence collective, où des centaines de millions de personnes participent à l'élaboration du savoir, enjeu actuel des nouveaux outils des moteurs de recherche. Un nouveau monde, aussi, sans fil !

Le Web a maintenant bientôt vingt ans : une génération entière a déjà grandi avec Internet. Or, depuis son apparition, on n'a jamais autant lu, écrit et échangé ! Le Web n'est pas, comme on a pu le croire au début, une vaste bibliothèque statique d'informations émanant de professionnels. C'est un réseau d'échanges, une plate-forme mondiale de communication ouverte à tous.

C'est un monde de confort (gratuité) et d'abondance d'informations, où la rareté artificielle des contenus n'est pas transposable. Aujourd'hui, la seule denrée qui croît de manière exponentielle est… l'information, dix fois plus vite que tout autre bien manufacturé ou industriel ! C'est vrai, de cette abondance croît rapidement aussi la médiocrité des contenus, les rumeurs, les âneries. Mais tout aussi vite aussi, l'expertise disponible, la richesse et la diversité des connaissances et du savoir.

La deuxième vague du Web a révolutionné notre manière de communiquer (Twitter), de consommer des médias (YouTube, Flickr) ou de nouer des relations (Facebook). Les principaux changements résident dans la nouvelle manière de picorer l'information tout au long de la journée (le *media snacking* !). C'est le privilège de cette génération *on demand*, qui sacre la VOD, la *catch-up TV*, les réseaux sociaux... pour accéder à l'information, aux divertissements, au sport, à la culture, aux connaissances. L'accès devient tout aussi, si ce n'est plus important que les contenus.

Aujourd'hui, l'ordinateur n'est plus une simple boîte. C'est une porte. Une porte qui s'ouvre sur le monde, plus seulement depuis son travail, mais désormais depuis son salon.

Les jeunes, « les milléniaux », qui ne jugent plus pertinents les contenus des médias traditionnels, dictent les tendances sur les comportements en ligne. Cela continuera, tout simplement parce qu'ils ont davantage de temps disponible. Et ils ne sont pas prêts à payer, au moins pas dans un futur proche. En France moins encore qu'ailleurs en Europe.

Ils accèdent aux informations importantes, le plus souvent fragmentées, par des voies inédites, par le partage, leurs réseaux, et, de plus en plus, en mobilité. Ils ne voient plus dans l'imprimé un support satisfaisant leurs besoins. Exigeants et créatifs, ils privilégient l'image, et se sont socialisés visuellement par le Web.

S'impose dans nos vies quotidiennes une culture de l'écran, voire de l'image, permise par les progrès du haut débit, de la démocratisation des outils de production, de l'engouement pour l'expression libre et la chute des prix du stockage. Avec un centre omniprésent : Internet.

Numérisation, personnalisation, mobilité, interconnexion permanente à Internet et donc avec le reste du monde sont bien les nouvelles caractéristiques de notre manière de nous informer à tout instant, à la maison, dans les transports et au travail.

Les nouveaux médias, désormais dits « sociaux », changent le journalisme. En Tunisie, ils ont permis de se jouer de la censure, de donner un écho supplémentaire à la révolution et des images de la répression.

Mais la bonne nouvelle c'est que le public n'a jamais consommé autant d'informations : les Américains consacrent désormais plus d'une heure par jour (70 minutes) à l'information via des anciens ou des nouveaux médias, selon une étude de 2010 de l'institut Pew.

Les nouveaux défis des journalistes

La crise des industries de contenus (musique, presse, livre, télévision) se déroule au moment même où explosent le Web social et la vitalité de la création, créés hors des sphères professionnelles. D'où une vive tension chez les journalistes, au magistère déclinant, coincés entre bouleversements technologiques, nouveaux usages et dépression économique.

Victime de la désacralisation de l'information, le clergé médiatique est choqué par la fragilité de son autorité et de son influence, par la dissolution de sa légitimité dans le grand vacarme numérique. Face à cette révolution qui a tout changé, face à de tels chambardements dans la production, la diffusion et la consommation d'informations devenues surabondantes, gratuites, disponibles partout, le journaliste professionnel semble tout d'un coup concurrencé de toutes parts, moins nécessaire, moins utile.

Et pourtant !

Et si la solution à « l'infobésité » qui nous submerge quotidiennement, qui nous accable du matin au soir, n'était pas justement le journalisme ! Mais un nouveau journalisme, un « journalisme augmenté », un journalisme enrichi de toutes les nouvelles extraordinaires possibilités offertes par cette révolution de l'information numérique. Un journalisme de valeur ajoutée. Pour exister davantage sur l'ensemble des supports numériques, mais aussi autrement. Car la crise transformationnelle et, désormais, existentielle du journalisme va balayer ceux qui n'auront plus de valeur ajoutée adaptée aux nouveaux usages du public. Une valeur ajoutée qui sera dans les services individuels et à la communauté, permettant de mieux comprendre et de participer à la vie de la cité, d'enrichir la vie des gens, et souvent, de la simplifier.

LE JOURNALISME N'EST PAS UN JEU À SOMME NULLE

C'est vrai, et c'est heureux, le journaliste ne peut plus ignorer, comme vecteur de l'information sérieuse, ni l'amateur ni l'expert, avec qui désormais il partage certaines de ses missions essentielles : la collecte, l'analyse, le commentaire, voire parfois l'investigation. Le journalisme augmenté, c'est donc d'abord un journalisme enrichi de son audience, plus démocratique et moins en surplomb, qui donne une large part à la coproduction avec le public, avec ses pairs, avec d'autres corps de métiers. Nos outils sont maintenant entre toutes les mains, profitons-en ! Le public ne veut pas remplacer les journalistes, ni prendre leur travail. Le journalisme n'a jamais été un jeu à somme nulle. La nouvelle participation de l'audience ne va faire que l'enrichir. C'est un nouveau complément indispensable pour un nouveau journalisme de lien social.

Le phénomène Wikileaks a aussi bouleversé beaucoup de repères en 2010 : une ONG apatride et décentralisée, à l'agenda flou, dirigée par un Australien contesté, Julian Assange, s'est mise à publier et à fournir à quelques grands journaux des milliers de documents secrets militaires et diplomatiques, provenant surtout de l'administration américaine.

Est-ce du journalisme ? Est-ce bon pour la démocratie et l'intérêt public ? Il semble que la réponse soit positive. Si les journalistes traditionnels ne parviennent plus à remplir leurs missions, notamment en raison d'un manque de ressources ou du manque de confiance du public, les sources iront de plus en plus confier leurs informations à des organisations, comme Wikileaks, qui leur garantissent un fort écho et l'anonymat.

Il va falloir s'habituer, composer et profiter de cette nouvelle force d'expression collaborative, d'interaction, de participation, et de partage.

Introduction

Internet est une formidable opportunité de renaissance pour les médiateurs professionnels grâce à ses qualités de mise en relation, de lien social au-delà des frontières, de partage de connaissances et d'informations, de collaboration, d'actions collectives.

ATOUTS INCOPIABLES

Mais il reste aussi au journaliste les atouts incopiables de sa profession, de son métier, de son expertise, qu'il peut davantage faire valoir, développer – et dont la société a plus que jamais besoin : sa capacité à trier, à authentifier, à mettre rapidement en perspective l'information, à lui donner du sens et à relier les événements.

Dans un monde numérique de flux, d'échanges permanents et nomades, de médias fragmentés, où les vieux modèles déclinent, et où l'information n'a jamais été aussi abondante, le nouveau défi majeur est de retrouver une fonction de filtre pertinent grâce aux nouveaux outils numériques, pour délivrer l'information dont a besoin le public, là où il le souhaite et quand il le désire. Si l'appétit pour l'information n'a jamais été aussi grand, la capacité du public à la traiter, à l'absorber ne suit pas.

LE JOURNALISME, FILTRE ET ORDONNATEUR DU CHAOS !

Le plus grand ennemi des médias traditionnels n'est pas Internet, mais le temps disponible du public. Il n'y a pas de pénurie d'informations et de contenus, bien au contraire, mais un manque de temps, et donc un besoin de plus en plus urgent d'un filtrage de qualité. Face au déluge informationnel, démultiplié par l'essor exponentiel des sollicitations et stimulations qui frôlent la tyrannie tout au long de la journée, l'attention est devenue la denrée la plus rare. Le rôle essentiel de filtre du journaliste est double : il aide à trouver le signal dans le bruit et fait gagner du temps.

« Sur Internet, tout est gratuit ! », entend-on d'habitude. Faux ! Les gens paient avec leur temps, celui qu'ils passent sur nos contenus et que sont prêts à acheter les annonceurs.

Le public consomme désormais les informations de manière différente. Il chasse, collecte, picore ce qu'il veut, quand il veut, partage ce qu'il a trouvé, via son réseau dans les médias sociaux. À force de *media snacking*, c'est l'infobésité qui menace ! Le journaliste, grâce à son expertise et à condition d'être porteur d'une confiance retrouvée, peut aider considérablement dans ce vaste tri sélectif. Et si le public, habitué à la gratuité, payait pour avoir... moins d'informations ?

L'AUTHENTIFICATION DE PLUS EN PLUS INDISPENSABLE

Répétons la bonne nouvelle : le public n'a jamais autant eu autant d'appétit pour l'information, l'analyse et les connaissances. Tant mieux ! Le Web offre tout l'espace possible, sans contrainte de temps, et l'information en est le principal moteur. Le public, chaque jour, s'y rend plus nombreux. Mais nos sociétés en quête de repères ont besoin d'informations de qualité, fiables, certifiées. Le Web, c'est bien souvent encore le Far West de l'info ! La mission de vérification et de labellisation, puis de suivi de l'information, est bien une fonction-clé à développer fortement par les journalistes professionnels. Surtout si se développent des unités éditoriales partisanes et non transparentes qui veulent contrôler l'information dans un univers Web très égalisateur.

Cette fonction-clé peut aussi s'appuyer sur la réputation, fondée ou non, de fiabilité et de sérieux des organes de presse pour lesquels travaille le journaliste. Les plus sérieux représentent, dans le bruit actuel, de vraies balises, des repères pour le public. Ils permettent souvent sur le terrain (et parfois à leurs risques et périls) de valider et d'authentifier des informations, très rarement vérifiées par des unités non professionnelles, les blogueurs, les commentateurs.

C'est vrai que confronté à ces mutations rapides le monde de la presse a du mal à en analyser les impacts à court, moyen et long terme, et a souvent l'impression de naviguer à vue. Mais, il y a une vie après le papier et les réseaux hertziens ! Et dans cet océan d'informations, d'innovations et de réseaux, quelques balises doivent rester bien visibles, pour se repérer et se frayer un chemin.

La réputation est l'une des balises les plus repérables et les mieux ancrées. C'est aussi une des raretés d'aujourd'hui, qu'il faut protéger, chérir, monétiser. Dans nos métiers, cette réputation est alimentée par la qualité des informations indépendantes et vérifiées, produites par des rédactions fortes. Hélas, aujourd'hui, celles-ci sont sous pression pour faire toujours plus, avec moins de journalistes, en raison de modèles économiques qui ne fonctionnent plus dans l'ère numérique. Pourtant, la qualité des contenus constitue plus que jamais l'une des conditions de survie.

L'ENRICHISSEMENT PAR LE CONTEXTE

La nouvelle valeur ajoutée des journalistes professionnels sera aussi la fourniture rapide de contexte, cruciale pour faire face au trop-plein d'informations dans un monde de plus en plus complexe, où la simple diffusion de « factuels » ne suffit plus.

Contexte donné, d'abord, par les journalistes, par leurs mises en perspective, leurs explications et analyses, leur mémoire, leur culture, le sens qu'ils donneront rapidement aux informations, leur capacité à raccorder les sujets, les événements, les problématiques, l'histoire… et donc, toujours, leur capacité à réduire le bruit.

Contexte donné, ensuite, par les possibilités inédites offertes par les nouvelles technologies et Internet : métadonnées, liens entre les contenus, liens vers des enrichissements extérieurs, GPS pour la localisation, codes-barres, dialogue des machines, organisation des communautés, agrégation de contenus, visualisation de données, enrichissement par d'autres médias (vidéo, graphiques animés…). C'est toute la force du Web et des outils multimédias que d'offrir aujourd'hui une couverture et un traitement de l'information plus riches et plus dynamiques. Des fenêtres sur des univers, et non plus des pages statiques.

JOURNALISME D'INNOVATION
ET NOUVELLE NARRATION NUMÉRIQUE

Sans vouloir prôner l'avènement d'un « journalo-geek », réjouissons-nous de l'apparition d'opportunités nées de nouvelles formes de narration numériques qui permettent de mieux appréhender les grands événements de la planète (changement climatique, flux migratoires, crise de la dette…) par des graphiques fixes ou animés, par l'enrichissement d'experts, par les témoignages des victimes, par les conversations qui s'y déroulent, par des collaborations avec d'autres médias, pour tenter, par de multiples interconnexions, de dégager de grandes lignes directrices, voire d'anticiper davantage. Le journalisme de données, permettant de les présenter visuellement pour les transformer en information, en connaissance et en savoir, constitue un énorme potentiel de développement. Sans compter l'apport imminent et prévisible des technologies de « réalité augmentée » pour enrichir l'information.

Internet et les nouveaux médias sociaux réinventent le journalisme. Sous la pression d'un phénomène déstructurant, né d'une rupture technologique et de nouveaux comportements, les rédactions commencent à adopter les nouveaux outils. Le stylo, c'est fini, ou presque ! Les journalistes l'échangent pour de nouveaux outils permettant d'enregistrer la voix, de prendre des photos, de filmer des vidéos. Internet a besoin de sons, d'images, fixes et animées, de bases de données, etc. Le nouveau journalisme est interactif, « 24/7 », multiplate-forme, désagrégé et convergent.

Introduction

Les vieilles méthodes de production de l'information ont vécu. D'ores et déjà se généralise dans les médias mondiaux un mouvement de convergence et de migration des contenus vers des modes de diffusion vraiment multimédias. C'est-à-dire multicontenus (texte, photo, vidéo, son) et multisupports (papier, PC, TV, mobilité).

La vidéo s'impose dans toutes les rédactions, et, avec elle, un journalisme de plus en plus visuel (infographies, applications Flash, visualisation des bases de données...). Grâce aux nouveaux outils Web, les médias racontent le monde de manière différente. Un téléphone portable avec une caméra, c'est une station de télévision dans la poche !

Les nouveaux médias doivent d'ailleurs faire face à une durée de vie très brève des technologies. Comme si un journal devait changer d'imprimerie tous les six mois !

Il faudra donc s'adapter aux nouveaux usages d'une nouvelle consommation, comme celle « à la demande », via la VOD pour la télévision et les podcasts pour les radios.

Formation indispensable, esprit d'entreprise recommandé

Difficile de croire que certains médias ont pris le Web au sérieux, quand on voit la lenteur des investissements dans les nouveaux médias, la maigreur des effectifs des rédactions Internet, la pauvreté des innovations sur le Web, la faiblesse des formations des personnels, l'illettrisme Internet et numérique, l'absence d'intégration des nouveaux outils dans la collecte et l'interaction avec l'audience.

Cette révolution nécessite de nouvelles compétences, pour des journalistes déboussolés.

Déjà, des unités éditoriales uniquement en ligne se créent, grâce à des initiatives individuelles venant de reporters chevronnés, remerciés par les journaux en difficulté, et viennent concurrencer leurs anciens employeurs.

De plus en plus de journalistes développent leur propre marque, travaillent sous leurs couleurs, seuls ou en petits groupes sur le Web. Le journalisme de qualité n'est plus l'apanage de grands groupes de médias. De nouveaux acteurs inventent, avec facilité et jubilation, la nouvelle grammaire des médias, des échanges, de la circulation de l'information de demain. Ils le font souvent gratuitement, car le média Web est excitant et il y a des places à prendre !

COMMENT RESTER PERTINENT ?

Nous vivons la fin de certains supports. Vivrons-nous la fin du journalisme ? Pourra-t-il continuer d'aller sur le terrain, d'être en mesure de révéler la face cachée de la réalité, de relier des faits apparemment sans rapport, d'enquêter sur la corruption, les abus, la cupidité, les promesses non tenues, de prendre le temps de la réflexion ?

Les pessimistes ou les râleurs diront, comme souvent, qu'il n'y a plus d'audience pour du journalisme de qualité, que c'est la couverture « people » qui l'emportera. Soyons convaincus du contraire. L'audience pour la qualité et l'intelligence ne fait que croître. Mais il faudra aussi accepter d'accomplir une autre révolution : celle de la pertinence.

Pour les médias, qui l'oublient souvent, il faut d'abord produire des contenus qui intéressent la société du XXIe siècle. Et non produire plus.

Le grand succès des médias sociaux (le Web 2.0) s'explique par le besoin de partager en apprenant et en découvrant. De discuter et de partager régulièrement sur des sujets qui nous intéressent, avec des gens qui comptent pour nous, dans des endroits qui nous plaisent. Un vaste feu de camp mondial ! Ces nouvelles font désormais partie du « mix » d'infos que nous consommons chaque jour. C'est un vrai changement qui bouleverse le paysage des médias, de la communication et de la publicité.

Le pouvoir d'influence des médias sociaux est croissant et ils représentent une part grandissante du trafic Internet. L'ensemble de tous ces contenus constitue le moteur principal de la croissance d'Internet. La manière dont ils vont affecter le journalisme n'est pas encore claire et la façon de les monétiser n'est guère plus évidente.

Mais le présent et l'avenir ne rentrent plus dans les moules du passé ! L'un des défis majeurs, pour les journalistes, s'ils ne veulent pas subir le sort du poinçonneur des Lilas, sera d'accepter de perdre un peu d'autorité et de contrôle, pour être davantage en prise avec l'audience, car l'information voyagera désormais, avec... ou sans eux. Pas question, donc, de resservir les mêmes vieux produits. Aujourd'hui, les gens achètent des journaux pour la fonction pratique du papier, pas pour les news ! La télévision dans son format de diffusion linéaire touche à sa fin. Les jeunes ne la consomment plus qu'en bruit de fond ou à la demande.

Le fond, mais aussi la forme

Qu'on le veuille ou non, bien souvent, la qualité d'accès à l'offre, l'expérience utilisateur, l'ubiquité et donc la forme du service primeront sur le contenu. Bientôt, l'information sera délivrée en fonction du lieu où nous serons, ou sera directement reliée aux discussions que nous aurons avec nos amis. Soigner sa mise en forme, c'est gagner des places dans la course à l'attention du public.

Le nouveau monde d'abondance, chaotique, complexe, instable, désordonné, sociable, connecté des médias va continuer de se fracturer, de se transformer et de se diriger vers toujours plus de numérique. Nous ne sommes qu'au début de la phase de transition entre un mode spécifique de collecte, de diffusion et de consommation de l'information, et un nouveau monde où le défi sera de demeurer des entreprises de médias en offrant des produits et des services à une audience qui a grandi avec Google. Il y a fort à parier que les médias de nos enfants n'existent pas encore ! Mais des imprimeries et des circuits physiques de distribution ne pourront pas longtemps concurrencer des paquets de données circulant de manière instantanée via une connexion Internet.

Une chose est claire : l'ensemble du paysage média devient donc numérique (presse, radio, télévision, musique, livre, afficheurs, cinéma…). Le reste l'est beaucoup moins. C'est un monde d'incertitudes, confus, destructeur de valeurs, difficile à comprendre où nous évoluons toujours en pionniers dans des territoires inconnus, et pour plusieurs années. Un monde où les dirigeants de médias n'aiment pas dire à leur staff : il y a beaucoup de brouillard et nous ne savons pas bien où nous allons.

Espérons seulement que l'alternative qui se présente désormais ne se résumera pas à un triste choix entre produire des contenus low cost et premium, répondant à la triviale segmentation marché-audience : populaire, jeunes et élites.

L'enjeu est bien quand même la disparition d'un certain journalisme institutionnel et la recherche d'une nouvelle pertinence dans une société submergée par l'information. L'enjeu est de sauver le journalisme, nécessaire à la démocratie, mais pas les vieux supports.

Alors, a-t-on encore besoin des journalistes ?

Oui, mais différemment !

Les qualités fondamentales d'un journaliste sont plus que jamais d'actualité : qualité d'écriture, de reportage et d'écoute, ouverture d'esprit, goût et don pour l'enquête, déontologie, qualité de jugement de l'information, esprit critique. Mais elles ne suffisent plus. Il faut aussi notamment l'expertise, la transparence, l'humilité et la crédibilité pour retrouver une confiance qui tend à s'échapper.

Et, surtout, le journalisme a rétréci : sa part dans la consommation quotidienne d'informations a diminué. Ses représentants ne sont plus les seuls médiateurs, les seuls gardiens du temple, le passage obligé des connaissances du grand public. Ils ne sont plus les seuls vulgarisateurs d'un monde complexe. Ils ne sont plus les seuls à pouvoir nous mettre en prise avec le reste du monde. Ils ne sont plus les seuls à avoir accès, à détenir ou à pouvoir publier l'information.

Introduction

Aujourd'hui, l'information est plus un début de conversation qu'un élément abouti et figé d'autorité. Et son traitement, plus un filtrage que le sceau d'une autorité incontestée.

Mais le journalisme peut augmenter de nouveau. Son pouvoir sera, alors, moins dans la production propre d'informations que dans une mission indispensable de filtre du tsunami informationnel mondial. Plus dans le tri, le choix, la vérification, l'agrégation, les liens entre les événements, les idées, les personnes. Les meilleurs, les plus pertinents, seront ceux qui sauront donner la meilleure information au meilleur moment à ceux qui en auront besoin. Parions que ce sera aussi un journalisme augmenté de beaucoup plus de transparence et d'humilité quant à ses pratiques, son métier, ses coulisses, ses enquêtes, ses sources, ses connexions, etc.

Pour cela, il leur faudra se réinventer. Tout le monde tâtonne, mais l'heure n'est plus à se demander s'il faut laisser passer le train ou juste mettre un pied dans la porte. Il n'est même plus temps d'innover, il faut se transformer. Ce n'est plus « *adapt or die* », mais « *change or die* ». Car, pendant que les médias traditionnels rechignent face au numérique, le public et les annonceurs, souvent plus avertis sur le plan technologique, vont tout simplement voir ailleurs.

Pour les journalistes, l'espoir existe bel et bien de continuer d'être un vecteur essentiel de l'information sérieuse, car jamais comme aujourd'hui ils n'ont été en mesure de raconter le monde de manière aussi efficace en collectant, triant, conversant, liant, montrant grâce à une palette incomparable de nouveaux outils.

Espoir aussi avec un rôle déterminant à jouer pour lutter contre la tyrannie des choix sur le Web et l'infobésité, qui menacent de conduire au crash de l'attention. Espoir enfin avec l'enrichissement continu de l'information par le contexte éditorial et technologique.

C'est une bonne période pour les journalistes qui sont, comme le dit l'écrivain Érik Orsenna, « dans des métiers de vigilants, au moment où le monde change ». C'est une bonne période pour les journalistes, car il n'y a jamais eu autant d'appétit pour l'info ! C'est une période enthousiasmante pour des journalistes révolutionnaires et responsables, subversifs et numériques !

Le journaliste ne peut être le spectateur d'une révolution en train de se faire, où son plus grand ennemi est lui-même, s'il ignore les bouleversements en cours. Il ne peut plus se retrancher de cette nouvelle conversation mondiale et rester sur un piédestal qui n'existe plus.

Les journalistes, comme d'autres, ont réagi lentement. Ils savent désormais qu'il leur faut réinventer leur rôle. Sinon, c'est cette nouvelle audience, ayant désormais la main sur leurs outils, qui déterminera, seule, s'ils doivent rester utiles et pertinents. Sans eux ?

Chapitre I

La révolution de l'information

La révolution numérique et Internet ont tout changé : l'audience a pris le contrôle des outils de production et de distribution des médias traditionnels. Les grandes missions des journalistes sont partagées, voire menacées. Les médias traditionnels sont en crise. Les nouveaux médias sont désormais sous l'emprise de trois forces : numérisation, mobilité et personnalisation. Trois forces qui effacent aussi progressivement les frontières entre vie professionnelle et sphère privée.

1. Désintermédiation massive

> Bref, l'Église, bon gré mal gré, s'appuiera de moins en moins sur ses clercs et de plus en plus sur ses baptisés.
>
> Claude Imbert

La désintermédiation, c'est la diminution, voire la fin des intermédiaires. Mais la crise des médiations ne touche pas que les journalistes. La disparition progressive des agences de voyages ou la possibilité donnée à chacun de devenir un trader boursier en témoignent.

Pour les médias, c'est, la possibilité d'être court-circuités dans les deux sens !

– De bas en haut : si tout le monde peut publier, tout le monde devient un média. Le citoyen témoigne de l'événement, collecte l'information, l'analyse et la partage. Plus besoin de journalistes !

– De haut en bas : le dirigeant politique s'adresse directement au citoyen, l'entreprise au consommateur, l'artiste à son fan. Sans passer par la case média.

Fin 2008, Barack Obama devient président des États-Unis en court-circuitant les médias, en s'adressant directement aux Américains grâce à tous les outils des réseaux sociaux, en mobilisant les étudiants pour faire campagne, en levant des fonds. Dans le même temps, son adversaire républicain continuait à concentrer ses efforts sur le vieux cycle des news « 24/7 », en privilégiant les chaînes de télévision en continu (CNN, Fox News) et les journaux télévisés.

a) L'audience a pris le contrôle et la parole !

C'est une révolution sociale ! « VOUS, le public, lecteurs et internautes, contrôlez désormais l'âge de l'information. » C'est ainsi que décrivait l'hebdomadaire *Time Magazine* la personnalité de l'année 2006.

Surgi dix ans après l'arrivée du Web, le Web 2.0 entraîne toujours aujourd'hui un tsunami sociétal dans les pays riches tout en bouleversant la presse mondiale et les métiers du journalisme.

Jusque-là, les médias s'accommodaient bien d'un Web contemplatif, un Web de publication, c'est-à-dire d'une nouvelle plate-forme de distribution de leurs contenus (comme le Minitel). Ils sont désormais court-circuités par un Web contributif, le Web de seconde génération, qui se développe autour d'un gigantesque partage d'informations.

Ce partage, à l'échelle du quartier ou de la planète, modifie les comportements des jeunes et fragilise les acteurs de la presse, drogués depuis toujours au « nous parlons, vous écoutez ».

Aujourd'hui, 37 % des internautes américains ont soit contribué à la création de nouvelles, soit commenté ou relayé la diffusion de l'information via les différents outils du Web 2.0, selon l'institut Pew Research Center.

Il s'agit bien d'une démocratisation de l'écriture et de prise de parole publique.

L'audience prend la parole, n'écoute plus les mandarins, s'approprie les outils de production et de distribution des scribes. Les internautes deviennent lecteurs-auteurs, auditeurs-photographes, téléspectateurs-vidéastes-producteurs... Les Américains parlent de *prosumers* (« consommacteurs »).

Jamais il n'a été aussi facile et bon marché de produire, d'assembler, de distribuer et de partager des contenus d'informations. Jamais il n'a été aussi facile de créer des communautés d'intérêt autour de ces contenus.

Chacun désormais a la possibilité de s'exprimer et de se faire entendre, sans passer par les médias traditionnels, leur caisse de résonance et leur capacité de filtrage.

Les gens ont leur propre imprimerie (blog), leur radio (podcast), leur télévision (YouTube) et sont connectés entre eux.

Cette prolifération inédite de nouveaux émetteurs ébranle autant la mission sociale, voire civique, des journalistes que les modèles économiques de leurs employeurs, qui ne peuvent plus rester à l'écart d'une révolution qui désormais inverse la rareté : auparavant régnaient une poignée de journaux, quelques chaînes de télévision et de radios, aujourd'hui c'est l'abondance de contenus, voire le trop-plein, et parfois la confusion, alimentés par une profusion de nouvelles technologies, faciles à utiliser et bon marché.

Le Web 2.0 est un exercice dynamique où les utilisateurs emmènent les médias dans une direction imprévisible. Ce qui ne signifie pas que ces consommateurs savent mieux que les journalistes, mais que le défi est aujourd'hui d'intégrer la voix du public, de réussir le partenariat audience-médias, de gérer la puissance de son enseigne pour en faire une force audible dans la conversation locale, nationale, mondiale... En résumé, d'attirer l'attention.

Le nombre d'émetteurs d'informations grandit vite : individus, *think tanks*, ONG, gouvernements, entreprises, activistes, responsables culturels, religieux, sportifs, syndicats, artistes, autant d'agents qui court-circuitent les médias dans les deux sens.

Jusqu'à la fin du XXe siècle, seuls quelques milliers de personnes avaient la parole. Ils sont aujourd'hui des dizaines de millions ! Chaque semaine paraissent de nouveaux outils d'autoédition : après Facebook, Twitter et FriendFeed, voici Tumblr, Posterous, Identi.ca, Plurk, Quora...

Chacun s'est mis à trier et à rapporter des nouvelles, à analyser, à prendre des photos, à les poster sur le Web et à les partager avec des inconnus. Les vieux médias ne gagneront plus cette bataille. Ils sont « désintermédiés », court-circuités, par le public, les politiques, les grandes entreprises, les sportifs, les acteurs...

C'est l'essor généralisé de la bande passante qui a totalement changé la donne : le Web s'est démocratisé et n'est plus l'apanage du clergé médiatique.

Il est passé d'un mode de publication de documents, produits pour une audience passive par quelques riches professionnels (*broadcast*), à une plate-forme de communication multimédia mondiale de tous (*multicast*) et à une distribution massive légale et illégale de contenus, qui bouleversent tous les modèles économiques de la fourniture d'informations.

Jamais les gens n'ont cherché et consommé autant d'informations, mais les professionnels n'ont plus le monopole de la parole. Ils n'ont plus le monopole de rendre les informations publiques. Chacun peut être producteur, créateur, éditeur et diffuseur.

L'audience, désormais, est active et contributive. Près de 20 % du temps passé sur Internet l'est dans les blogs et les réseaux sociaux. Wikipédia est de loin le premier site d'information aux États-Unis.

YouTube, Facebook, Twitter, qui entend devenir le pouls de la planète, sont devenus des sources d'informations incontournables, tout comme des milliers de blogs, sites et services. L'origine de l'information compte moins qu'avant. Les marques, en tout cas les anciennes, attirent moins, et sont moins importantes aux yeux des jeunes audiences, qui ont les leurs. L'importance croissante des réseaux sociaux rend moins pertinents les sites de destination.

Les sources traditionnelles des journalistes s'affranchissent de plus en plus des intermédiaires pour s'adresser directement au public.

C'est le cas de la classe politique : voyez la campagne électorale, puis la présidence Obama. La Maison-Blanche, avec ses blogs, sa Web TV, ses vidéos YouTube, ses pages Facebook, son compte Twitter est devenue un média. C'est aussi le cas des acteurs, des chanteurs (tous ont leurs pages Facebook), des sportifs (Lance Armstrong communique par son compte Twitter). Tous s'expriment directement et cherchent le contact direct avec l'électeur, le fan, les communautés d'intérêt.

Pis pour les médias : les marques, les annonceurs, sources majeures de financement de la presse, sont en train de se passer d'eux et des publicitaires pour converser directement avec les consommateurs et les clients. C'est le cas des grandes entreprises, via des blogs, des pages Facebook, des Web TV (BMW, L'Oréal) ou des magazines en ligne (Nowness de LVMH). Les marques, qui possèdent des contenus informatifs et qui avaient l'habitude d'acheter du temps et de l'espace dans les médias, sont de plus en plus nombreuses à se servir directement du Web. Avec Internet, les relations publiques deviennent vraiment publiques et ne passent plus nécessairement par le filtre des journalistes.

Grâce à Internet, le citoyen a accès à toutes les informations, sans intermédiaire.

b) Les blogs et la facilité de s'autopublier

N'en déplaise aux journalistes, les blogs sont non seulement devenus partie intégrante du paysage médiatique, mais ils ont parfois dépassé en audience et en qualité nombre de médias traditionnels, même s'ils sont souvent bâtis et alimentés grâce au labeur… des journalistes.

C'est le cas à Hollywood, par exemple, où The Wrap et Deadline Hollywood, deux blogs créés récemment, ont largement dépassé en influence les publications spécialisées *Variety* et *The Hollywood Reporter* dans la couverture de l'industrie des médias et du cinéma. Ce sont eux aujourd'hui qui donnent l'agenda de ce secteur aux journaux généralistes comme le *Los Angeles Times*, le *New York Times* ou le *Wall Street Journal*. Une situation que l'on retrouve dans d'autres domaines, comme pour la couverture de la high-tech : voir les blogs Mashable ou TechCrunch aux États-Unis, dont l'audience dépasse le million d'internautes.

Quelques années après leurs lancements, le site Huffington Post et le groupe de blogs en ligne Gawker ont, quant à eux, dépassé les trafics d'*USA Today*, du *Wall Street Journal* et du *Washington Post*. Huffington Post, avec ses six mille blogueurs, est même devenu un lieu majeur de conversations politiques à l'échelle du pays, au moins côté démocrate.

Huffington Post et Politico ont d'ailleurs commencé dès le milieu des années 2000 à embaucher des journalistes professionnels. Le prestigieux prix Pulitzer a enfin décidé en 2010 de récompenser le journalisme en ligne et des *pure players*.

Les grands médias traditionnels ne s'y trompent pas et en proposent souvent chacun plusieurs dizaines, dont la plupart ne sont pas réalisés par la rédaction d'origine du média.

Le *Washington Post* a accordé en 2008 une de ses quatre positions à la Maison-Blanche à un blogueur maison pour couvrir la présidence d'Obama. À New York, les blogueurs peuvent aujourd'hui franchir les cordons de la police car la ville leur a accordé une carte de presse.

Résultat : durant l'été 2010, la vénérable agence de presse américaine Associated Press a enfin décidé que les blogs pouvaient être cités dans ses dépêches comme des sources d'informations !

En France, un grand quotidien généraliste peut voir plus de 15 % du trafic de son site se diriger vers ses blogs. En y ajoutant les diaporamas, les portfolios et contenus tiers, on obtient... la moitié du trafic ! L'autre moitié étant réalisée avec les articles du journal imprimé plus ceux réalisés par la rédaction Web.

Les blogs d'amateurs comme de professionnels font désormais partie de l'écosystème des médias. Langage journalistique de plus en plus utilisé, ils sont aussi devenus des portes d'entrée de l'information ou des référents via des informations, prenant le rôle de filtres, voire de prescripteurs, jusqu'ici joué par les éditeurs et les journalistes.

D'ailleurs, l'organisation Reporters Sans Frontières assimile journalistes et blogueurs. « Nous ne faisons pas de différence entre les anciens et les nouveaux médias. Ce sont deux combats qui vont de pair. Nous défendons autant *Le Monde* que Twitter ou Facebook », a déclaré, en 2010, Jean-François Julliard, directeur de RSF.

> Et nous sommes inquiets de la montée de la censure sur Internet qui sévit désormais dans un tiers des pays de la planète. Il n'y a pas que la Chine ou le Vietnam. Nous sommes inquiets de la répression sur les Net citoyens, gens qui bloguent et qu'on met en prison [...]. Aujourd'hui, il y a cent quatre-vingts journalistes en prison et cent vingt Net citoyens. Dans un an ou deux, il y aura plus de Net citoyens que de journalistes. Cela prend une importance croissante (*idem*).

D'ailleurs, ajoute Julliard, « beaucoup de gens sur Internet accordent plus de confiance à des blogueurs qu'ils connaissent qu'à des journalistes qu'ils ne connaissent pas ».

c) Internet, ou le règne de la première personne du singulier !

Preuve du jaillissement phénoménal de contenus : leur mise en ligne est d'ores et déjà, selon la firme de conseil McKinsey, plus de trois fois supérieure aux téléchargements provenant d'Internet.

« Nous vivons pour notre malheur la plus grande augmentation de la capacité expressive de l'histoire de l'homme. Ce qui était rare et précieux auparavant a cessé de l'être », résume Clay Shirky, essayiste américain, professeur en nouveaux médias et l'un des gourous du Web.

Selon le patron de Google, Eric Schmidt, en ce moment, il se crée tous les deux jours autant d'informations et de données qu'entre le début des civilisations et l'année 2003 !

Comment ? Par des millions de petites contributions qui comptent ! Par les millions de journaux en ligne créés via les blogs, les millions de chaînes de TV via YouTube, les millions de *tweets* et de statuts Facebook, les possibilités illimitées de montrer au monde entier ses photos via Flickr, sa musique sur MySpace, son savoir sur Wikipédia, etc.

Microcaster sur un site de *live streaming* via son smartphone, c'est comme avoir une station TV dans la poche ! Rien que sur YouTube, chaque minute qui passe voit trente-cinq heures de contenus vidéo mis en ligne par des internautes du monde entier. Plus de quatre milliards de clichés ont été postés sur le site de partage de photos Flickr.

Ce partage d'informations, ce gigantesque bouche-à-oreille, qui atteint l'autre côté de la planète en une seconde, est le nouveau Café du Commerce planétaire.

Quelque 35 % des internautes américains, soit quarante-huit millions de personnes, ont contribué à l'écosystème des news, en les commentant ou en les disséminant via Facebook ou Twitter, estimait, en février 2010, l'institut Pew.

De plus en plus de médias traditionnels (CNN, *New York Times*, Reuters, AFP, TF1, *Straits Times* de Singapour, etc.) se dotent de plates-formes d'accueil de contenus produits par le grand public. De plus en plus de magazines américains accueillent aussi les photos des amateurs tels *Vermont Life, Oklahoma Today, New Mexico Magazine, Rock and Ice, Trail Runner*, etc.

L'idée générale est moins de concurrencer ses propres journalistes que de compter sur un vaste réseau supplémentaire de sources et de témoignages. Sur des milliers de regards et d'oreilles situés dans des endroits où ne sont pas nécessairement les journalistes. Il s'agit plus d'une simple collecte que d'un travail de journaliste qui garde, lui, la maîtrise de la vérification des faits, de la hiérarchie de l'information, de sa présentation et de sa mise en perspective. Nous préférerons donc parler de « témoin » plutôt que de « journaliste citoyen ». Et bien sûr, pour l'éditeur, les contributions sont moins chères...

Mais il est clair que le journaliste n'est désormais plus le seul point de passage de l'information, le seul point de contact du public avec les événements du monde !

Le contenu autoproduit (ou « UGC », pour « *user generated content* ») se concentre essentiellement sur l'image (tout le monde a désormais un portable doté d'un appareil photo, demain d'une caméra vidéo), Photoshop améliorant facilement les clichés médiocres. Les laptops, tablettes et smartphones contiennent déjà, chacun, plus de puissance informationnelle que les salles de rédaction tout entières d'il y a vingt ans.

Attention, toutefois ! Ceux qui produisent des contenus en ligne ne sont pas nécessairement ceux qui les consultent et les consomment.

2. NOUVEAUX USAGES :
LE PUBLIC NE S'INFORME PLUS COMME AVANT

La bonne nouvelle, c'est que l'appétit pour l'information n'a jamais été aussi grand.

La mauvaise, c'est que le public a complètement changé sa manière d'y accéder.

a) Quelques chiffres

S'il est vrai que les Américains lisent moins qu'avant les journaux, ils ingèrent toutefois désormais, chaque jour, 34 gigabits d'informations, soit l'équivalent de cent mille mots (via la lecture, la télévision, la radio, le Web, les portables, etc.). C'est une augmentation de 350 % depuis 1980 ! On estime généralement que les Européens consomment, quant à eux, environ trois fois plus d'informations aujourd'hui qu'en 1960.

Grosso modo, les habitants des pays riches (OCDE) passent chaque jour trois heures et demie devant un ordinateur, quatre heures devant la télévision et une demi-heure au téléphone.

b) Nouveaux usages

Le temps passé sur Internet, désormais l'endroit le plus créatif du monde, a augmenté l'an dernier dans le monde de 21 %, et le nombre d'utilisateurs, de 13 %.

Aujourd'hui, 82 % des Américains surfent sur Internet. Le temps moyen passé en ligne atteint dix-neuf heures par semaine aux USA. Et l'Internet est y est désormais considéré comme le média le plus important. S'ils devaient faire le choix, les Américains se passeraient plus volontiers de la télévision que du Web. Les Canadiens passent désormais plus de temps sur Internet que devant la télévision (dix-huit heures contre dix-sept heures par semaine).

D'ailleurs, même les seniors s'y sont mis : le Canada note ainsi une progression fulgurante de l'usage d'Internet, notamment pour 35 % des 65 ans et plus.

Les gens n'ont plus guère le temps de lire des journaux ou des revues. Si 98 % des foyers américains achetaient des journaux en 1970, ils n'étaient plus que 53 % en 2000 et 33 % en 2009. Côté magazines, le taux de réachat s'est effondré. Le public achète le même hebdomadaire ou mensuel une fois sur trois ou quatre. Ceux qui souffrent le plus sont les hebdomadaires d'information générale. Les journaux étant souvent devenus les nouveaux magazines.

Seuls deux Américains sur cinq lisent un journal imprimé tous les jours et cette proportion vieillit rapidement, selon l'institut Harris. Ils sont 64 % de plus de 55 ans à lire des quotidiens imprimés quasiment chaque jour, mais ce taux décroît vite avec l'âge : 44 % pour les 45-54 ans, 36 % pour les 35-44 ans, 23 % pour les 18-34 ans.

Dans les grandes villes américaines, il est difficile de trouver des journaux imprimés. Les boîtes de distribution automatique se font rares et mêmes les grandes chaînes d'hôtels ont arrêté, faute de demande suffisante, la distribution de journaux gratuits avant le petit déjeuner.

En 2007, les Européens passaient déjà, en moyenne, douze heures par semaine sur Internet. Aujourd'hui, en Europe, selon une étude conjointe de Fleishman-Hillard et Harris Interactive, Internet est devenu le média le plus influent, notamment en Allemagne, en Grande-Bretagne et en France, avant même la télévision, la radio, les journaux et les magazines. Mais la télévision reste le média le plus utilisé, notamment au Royaume-Uni et en Allemagne.

c) Internet et l'information d'actualité

Dès le milieu des années 2000, une majorité d'Américains s'est tournée en priorité vers Internet pour s'informer.

L'année 2008 a marqué un tournant : pour la première fois, Internet a devancé les journaux imprimés comme source d'informations aux États-Unis. L'Internet est donc déjà le second moyen de s'informer derrière la télévision. Il pourrait passer prochainement en tête. Aux USA et dans certains pays européens, les gens passent plus de temps sur Internet qu'à lire des journaux. Même les audiences télé et radio stagnent ou baissent.

Plus de la moitié des Américains disent aujourd'hui que leur première source d'informations vient d'Internet. La télévision ne constitue la première source d'infos que pour moins d'un tiers d'entre eux, la radio pour 11 % et les quotidiens papier pour 10 %.

En 2010, 44 % d'entre eux ont dit être allés en ligne (ordinateur ou téléphone mobile) pour consulter des informations d'actualité. On estime généralement que quelque 60 % des Américains vont s'informer désormais en ligne.

Une étude de l'institut Pew Research Center montre que, grosso modo, les Américains passent près d'une heure (57 minutes) chaque jour à s'informer via la télévision, la radio et les journaux. C'est stable par rapport à l'année 2000. Mais s'y ajoutent 13 minutes consacrées à l'information en ligne, sans compter le temps passé sur le téléphone mobile.

Les journaux représentent toutefois moins de 1 % des pages vues sur le Web et 0,56 % du temps passé sur Internet. Les gens picorent – on parle de *media snacking* – et vivent dans un courant continu d'informations, un monde de flux où l'information est partout.

Progressivement, chacun construit sa propre chaîne d'informations, sur Internet et les mobiles, composée de fragments de médias traditionnels, désagrégés ou picorés çà et là, mélangés entre eux (journaux, radios, TV…), mais aussi combinés à des blogs et à de multiples autres sources.

Le temps passé sur les sites d'information américains continue de diminuer mois après mois, pour atteindre entre 8 et 20 minutes (par mois pour le *New York Times*), soit quarante fois moins que sur les réseaux sociaux !

Les gens veulent avoir une relation personnelle avec l'information qu'ils consomment. On veut pouvoir transporter son information, la consulter partout, la partager, la taguer, la mixer, la commenter, etc.

d) Multiplication des contenus et des portes d'entrée

« News junkies » et news fatigue ! Internet a changé nos manières de lire, de s'informer et a réduit notre capacité d'attention. Il nous entraîne à consommer plus d'informations, à être soumis à davantage d'idées, au détriment probablement de la profondeur d'analyse.

Media snacking : les gens papillonnent sur différents médias, tout au long de la journée. La télévision traditionnelle devient une occupation de seniors, qui reste importante, mais plus nécessaire. D'ailleurs, il n'est physiquement plus possible de zapper entre tous les différents programmes TV ! L'Allemagne compte aujourd'hui trois cent vingt-quatre chaînes de télévision, contre seulement deux chaînes dans les années 1970 !

Il faut aussi compter avec un nouvel appétit boulimique pour les nouvelles technologies. Le public empile et accumule : laptops, appareils photo numérique, téléphones portables, consoles Wii, Caméscope, tablettes… C'est un monde où il y aura bientôt plus de caméras vidéo que d'habitants.

Statuts Facebook, *tweets*, SMS, vidéos YouTube, consoles portables, jeux vidéo, BlackBerry, iPod, iPad, sont venus en quelques années s'ajouter aux articles, émissions de radio et de télévision, et surtout démultiplier les sollicitations de chacun tout au long de la journée.

Le Web 2.0 a transformé Internet. Des communautés se retrouvent et partagent leurs centres d'intérêt. Une sous-culture (Facebook, YouTube, Flickr…) a émergé.

« Mes amis sont une TV ! » Qu'on le veuille ou non, même des sites comme Facebook ou Twitter deviennent des sources privilégiées d'informations, parfois uniques, tout simplement parce que leurs utilisateurs privilégient leurs propres centres d'intérêt et les personnes qui les partagent. Et que les recommandations des amis font gagner un temps précieux dans le trop-plein du Web.

Pour beaucoup, il n'y a pas d'effet de substitution (la télévision n'a pas remplacé la radio, la radio n'a pas remplacé les journaux, etc.), mais un effet d'empilement : plus d'appareils, plus de canaux de distribution, plus de médias.

e) Nouvelles audiences

Paradoxalement, jamais les journaux et les médias traditionnels n'ont connu de telles audiences.

Aux États-Unis, parmi les quatre mille six cents sites d'informations d'actualité répertoriés par Nielsen, 80 % du trafic va vers 7 % de ces sites. Sur les deux cents premiers sites, 67 % sont ceux de médias classiques, 13 % d'agrégateurs et seulement 14 % de *pure players* en ligne.

L'audience des grands médias britanniques est désormais, grâce au Web et à la langue anglaise, plus importante en dehors du Royaume-Uni que dans les îles britanniques.

C'est le cas pour la BBC (61 % du trafic du site vient de l'étranger), du *Guardian* (58 %), du *Telegraph* (54 %), du *Times* (55 %), de *The Independent* (73 %), mais aussi du *Daily Mail* (69 %) et du *Sunday Mirror* (51 %). Le record, selon Comscore[1], revient au *Financial Times* avec une audience en ligne hors UK de 85 %. Reste qu'il n'est pas toujours aisé de monétiser cette nouvelle audience internationale.

En Espagne, le premier quotidien national, *El País*, veut renforcer sa diffusion en Amérique latine et dans les pays de langue hispanique.

1. Voir http://www.comscore.com/press/release.asp ?press=1457.

Il cible aussi désormais un public plus jeune. Il entend être une sorte d'International Herald Tribune en espagnol.

En France, un tiers des visiteurs des sites des grands journaux et de France Télévisions vient de l'étranger.

En quelques années, également, de nombreux pays émergents ont lancé des chaînes de télévision d'information en continu : le Qatar (Al Jazeera), la Chine, l'Iran, l'Afrique du Sud, etc. Autant de chances de toucher des audiences en dehors du pays d'émission car elles disposent le plus souvent d'une version en anglais.

Des médias visent aussi certaines régions, comme le Moyen-Orient où de nombreuses chaînes de télévisions (MTV, BBC...) se sont lancées.

f) Les fameux « digital natives »

Les « natifs numériques » représentent désormais le quart des populations dans les pays riches. Nés après l'élection de Bill Clinton, ils n'ont jamais connu le mur de Berlin. On les regroupe aussi parfois sous le label « génération M » (*millennial, multitasker, multimedia, mobile*).

Cette « *generation on demand* » (les jeunes âgés aujourd'hui de 10 à 30 ans), la plus importante depuis les baby-boomers, est passée des DVD à la VOD, à la *catch-up TV* et au P2P, des CD au streaming en ligne, de l'imprimé à Internet. Elle entend accéder à l'information, aux divertissements, au sport, à la culture, aux connaissances, en tout lieu et à l'heure de son choix.

Elle va aussi changer le Web ! Ce qu'ils attendent du Web sera le Web.

Ce sont les jeunes qui ont grandi avec les ordinateurs, Internet, les jeux vidéo, les téléphones mobiles et les lecteurs de musique MP3. Ils se sont socialisés visuellement et par le Web, de manière différente que leurs aînés. Ils sont aisément multitâches, surfent toujours sur le Web en musique, tout en surveillant la télévision et en échangeant des messages IM via leurs mobiles. On les sent facilement atteint par le nouveau syndrome « d'attention perpétuellement partielle » !

C'est une culture de l'écran. Les jeunes Américains de 8 à 18 ans passent en moyenne sept heures et demie par jour devant un écran, soit plus de cinquante heures par semaine ! Sans compter le temps passé à écrire des textos ou à utiliser leurs téléphones portables ! Soit une heure de plus qu'il y a cinq ans. Leur capacité de *multitasking* leur permet de consommer onze heures d'équivalent média dans ce laps de temps, selon une étude de la Kaiser Family Foundation.

Chacun voit bien qu'un adolescent ne pianote plus sur son ordinateur sans écouter en même temps de la musique en streaming au casque. Le nombre d'Américains surfant sur Internet tout en regardant la télévision a aussi augmenté de 35 % en un an ! Près de 60 % des Américains le font au moins une fois par mois. Mais les jeunes adorent écrire et écoutent toujours beaucoup la radio. Actuellement, 60 % des échanges se font par écrit. L'utilisation du courriel, des textos, des messageries instantanées se fait aussi souvent en « background » d'autres activités.

Dans leur nouveau monde de loisirs, la télévision n'est plus reine ! Ce n'est plus qu'un bruit de fond ! On parle de *snack TV*, et YouTube remplace la télévision. Ainsi, seulement un quart des jeunes Américains de moins de 30 ans a suivi la dernière campagne présidentielle à la télévision.

Ils se moquent des publicités et, quand ils doivent prendre des décisions d'achat, ils ont plus confiance en leurs amis ou même en d'autres consommateurs, via les réseaux sociaux. les marques qui réussiront seront celles capables d'entretenir un dialogue, d'admettre leurs erreurs et surtout d'être plus transparentes.

Le monde du travail n'est pas, pour eux, une fin en soi. C'est un endroit comme un autre, où il sera de plus en plus difficile de faire régner le *top-down*. Il faut expliquer, convaincre, partager et associer. Ils s'attendent à trouver dans l'entreprise les mêmes outils que dans leur vie personnelle.

Ils ont une conscience sociale, politique et s'intéressent à l'état du monde. Ils s'informent, mais pas dans les journaux. Ceux qui lisent des informations sur les sites des journaux n'ont souvent jamais vu le journal sous sa forme papier. Sur le Web, pour voir un article, une photo, une vidéo, ils n'arrivent pas par la une, mais par les moteurs de recherche ou les recommandations des amis. Leur capacité d'attention est limitée. Il faut faire court et visuel.

Ils sont à l'aise pour regarder des contenus TV en ligne sur leur ordinateur ou, bien sûr, écouter la radio. Les réseaux sociaux sont utilisés massivement. Pas encore trop inquiets des menaces sur leur vie privée, ils partagent publiquement, parfois en direct, et tentent de se distinguer.

Ils ont une relation avec un article, une photo, une vidéo d'un média traditionnel, mais pas avec la une d'un journal.

Pour la génération numérique, « le temps écran » va à l'avantage de l'ordinateur face à la télévision. Très vite, le média Internet va être le premier média des enfants.

Les jeunes mélangent les sources d'informations, passant facilement d'une marque de média traditionnelle à un blog d'expert ou à un commentaire d'ami dans Facebook. La référence à la marque, au label d'une information produite par une rédaction professionnelle n'a plus la même valeur aujourd'hui.

Une étude de l'agence de presse américaine Associated Press, réalisée en 2008, a montré que les jeunes étaient fatigués d'avoir toujours les mêmes vieux contenus d'informations. Il y en a trop et ils veulent mieux. Ils veulent des informations de qualité, qu'ils peuvent utiliser et échanger. Ils réclament aussi de la profondeur et ne la trouvent pas. Aujourd'hui, les informations de sport et de loisirs (musique, cinéma…) répondent le mieux à leurs attentes.

D'ailleurs, dans cette génération, plus personne ne fait de sites Web. Seules les applications les intéressent. Les applications qui permettront de rester connectés partout et à n'importe quel moment.

Les préoccupations ne sont plus les mêmes. « Je fais, lis ou regarde ce qui m'intéresse. »

Le fossé numérique se creuse aussi dans la société avec des jeunes hyperconnectés qui s'éloignent du reste de la population.

Si la bonne nouvelle, c'est que les jeunes participent bien à la vaste et croissante demande d'informations observée aujourd'hui, la mauvaise, c'est que cet appétit se borne souvent uniquement à leurs propres centres d'intérêt et non à ceux que d'autres, extérieurs à leurs cercles d'amis, peuvent juger importants pour eux. D'où l'accent mis par des médias sur les contenus verticaux qui vont de plus en plus en profondeur, aux dépens souvent d'une approche plus large des problèmes de la société. D'où aussi le risque majeur d'un gros accident prochain sur le contrôle des informations personnelles, aujourd'hui revendues aux annonceurs et qui alimentent les profits des nouveaux géants du Web.

En ce début de XXIᵉ siècle, beaucoup de jeunes se contentent des informations liées à leurs cercles de connaissances, famille et surtout amis, regroupés dans les communautés de Facebook, MySpace, ou Twitter.

Mais d'une manière générale les jeunes dictent les tendances sur les comportements en ligne. Et, cela va continuer, tout simplement parce qu'ils ont plus de temps que les autres.

Jusqu'ici les jeunes, une fois entrés dans la vie active, copiaient le style de vie de leurs parents. Pour le numérique, c'est l'inverse : les vieux imiteront les jeunes ! Déjà des voix s'élèvent pour avoir des chiffres sur les audiences des 8 à 14 ans ! Le quart de la population française est aujourd'hui constitué de *digital natives* ! Le *multitasking* des jeunes ? Aujourd'hui, ils seraient capables de consommer vingt heures d'équivalent média en sept heures, via trois ou quatre supports différents !

g) *Des jeunes drogués aux contenus gratuits*

La gratuité a continué de croître. Et avec elle la notion de paradis numérique, gratuit !

Au point que Chris Anderson, le directeur de *Wired Magazine*, qui a conceptualisé la fameuse théorie de la longue traîne (sur le modèle d'Amazon et de Google), prétend aujourd'hui que toute activité économique qui se numérise, et donc passe par le Web, finira un jour où l'autre par devenir gratuite. Motif principal : des coûts de production et de distribution qui tendent vers zéro (bande passante, stockage et processing).

« *The gift economy* » est le nom qu'il donne à ce nouveau modèle. C'est du côté de la presse, pourtant bien mal en point, qu'il s'est inspiré :

> Ce que le Web représente n'est que l'extension du modèle d'affaires des médias à toutes les industries. Non pas dans le sens où la pub pourrait tout financer, mais bien plutôt dans la manière dont les médias ont à leur disposition des dizaines de façons différentes de financer des contenus qu'ils mettent gratuitement à la disposition du public.

Ayant bien identifié deux raretés qui, elles, valent de l'argent, l'attention[1] et la réputation, il reconnaît que les modèles d'affaires sont encore à travailler !

En quelques années, le modèle gratuit a en effet gagné du terrain : dans les villes d'abord avec l'essor des quotidiens gratuits, sur le Web ensuite.

Les journaux distribués gratuitement près des lieux de transport des citadins ont pris une part importante du marché des quotidiens. Ils sont le plus souvent essentiellement fabriqués à l'aide de dépêches d'agences de presse et permettent de s'informer rapidement. Pour certains, c'est l'Internet sur papier !

Les jeunes sont donc aujourd'hui totalement habitués à s'informer gratuitement. Chacun trouve donc normal d'avoir accès sans payer aux détails d'un attentat à Bagdad, d'un tremblement de terre à Haïti ou d'une finale de tennis, considérés comme des denrées banales, gratuites, partout disponibles en ligne.

C'est la confirmation redoutée de la fameuse *commoditization* de l'information factuelle brute.

---

1. Voir http://mediawatch.afp.com/?post/2008/02/01/Leconomie-de-lattention.

*h) Une consommation de plus en plus partagée :
les médias sont sociaux !*

La manière dont les médias sociaux (où les contenus sont, tout ou partie, produits, modifiés et distribués par leur audience) vont affecter le journalisme n'est pas encore claire. La manière de les monétiser guère plus évidente.

Mais il est sûr que les médias sociaux, qui représentent une part croissante du trafic sur Internet, modifient, en ce moment même, de manière fondamentale le paysage des médias, de la communication et de la publicité, bousculent nos manières de communiquer et de travailler. Et d'ores et déjà le temps passé sur des contenus éditoriaux « classiques » tend à diminuer.

Car les réseaux sociaux sont devenus de nouveaux canaux importants de distribution des informations. L'intelligence sociale collective devenant par là même une nouvelle forme de filtre éditorial. Ils sont aussi des moyens majeurs de communication au point qu'il peut désormais paraître bizarre de réclamer à un interlocuteur son numéro de téléphone ou son adresse électronique.

Le succès des médias sociaux est dû au besoin de partager en apprenant et en découvrant. De discuter et de partager sur des sujets qui nous intéressent, avec des gens qui comptent pour nous, dans des endroits qui nous plaisent. Nous aimons nous regrouper par affinités, rejoindre des communautés d'intérêt, où nous pouvons partager en ligne nos avis, nos expériences, nos enthousiasmes, notre langue et notre temps.

Les médias sociaux s'appuient aussi sur un besoin d'expression et de reconnaissance par les pairs. Ce succès est basé sur la confiance accordée à ses propres sources et à son réseau d'« amis » sur Facebook, FriendFeed, Twitter, Plum, Yelp, LinkedIn, etc.

Leur pouvoir d'influence est très important. Les « amis numériques » sont autant de canaux d'influence. Les grandes marques commencent à y investir fortement. Elles veulent savoir ce que les gens font, pensent et veulent.

Près des trois quarts du temps passé en ligne le sont dans des médias sociaux.

Réseaux sociaux et affinités électives

Leur succès semble essentiellement passer par les ressorts suivants : je souhaite m'informer (via les moteurs de recherche), m'amuser (vidéo en ligne), être connecté (réseaux sociaux), m'exprimer (blogs, Twitter...), communiquer (messagerie instantanée).

« C'est un changement total dans la façon d'utiliser Internet », estime l'institut Nielsen. Quelque cent dix millions d'Américains, soit 60 % des internautes US, utilisent les médias sociaux, ces nouveaux médias de masse.

Que veut l'audience aujourd'hui ? Être informée, mais aussi s'amuser, prendre du plaisir, participer, communiquer, partager. L'attitude passive face au journal ou au programme de télévision linéaire et séquentielle n'est plus satisfaisante.

Internet n'est donc pas qu'un lieu d'accès à la connaissance et au savoir. C'est désormais surtout un lieu de socialisation, un endroit où de plus en plus de gens vivent, échangent et communiquent. Une résidence secondaire ! Un lieu où l'information, partagée, est libre de circuler. Un endroit où les gens sont heureux de collaborer sans être rémunérés. Pour les jeunes, les réseaux sociaux sont désormais comme l'air qu'ils respirent ! La musique n'est plus seulement mobile, elle est devenue sociale.

Aujourd'hui, les géants des réseaux sociaux cherchent à prendre la place des anciens grands portails (Google, Yahoo !, MSN...) comme porte d'entrée unique du Web, et sont souvent plus utilisés que le courriel pour communiquer. Ce sont des lieux privilégiés d'informations instantanées et partagées avec l'audience.

Après Google, Facebook (plus de cinq cents millions d'utilisateurs) recentralise le Web, en devient son premier site d'information et son premier pourvoyeur de trafic, et sert d'identité numérique aux internautes pour circuler d'un site à l'autre. Twitter (plus de cent millions de membres) continue sa phénoménale expansion en devenant un outil de *broadcast*, de diffusion publique et massive d'une personne vers une multitude, qui bat souvent les médias lorsqu'il s'agit de donner les informations importantes et les tendances. Skype compte plus de cinq cents millions d'utilisateurs, Mozilla et Wikipédia en ont trois cent cinquante millions chacun. Pour communiquer, les réseaux sociaux ont dépassé, en 2009, le courrier électronique.

Après des années d'efforts pour se placer le mieux possible vis-à-vis des recherches Google, les médias traditionnels tendent à privilégier désormais l'optimisation plutôt que les médias sociaux : c'est-à-dire tout faire pour exister là où les gens vivent et échangent. Là où chaque information est accessible instantanément et peut être commentée en temps réel. Pour les médias, le temps réel est roi. Le prime time, c'est tout le temps !

Le Web instantané

Encore appelé « Web social en temps réel », « Web vivant », « *live streaming* », c'est le Web qui se rapproche le plus de la réalité et qui vient tout juste de commencer à être indexé par Google.

Il s'agit du développement exponentiel des applications d'IM (messageries instantanées), Twitter (microblogging), LinkedIn (réseau professionnel), Facebook (réseau d'amis), FriendFeed (agrégation d'activité sociale), Flickr (photos), ou Qik (vidéos)…

Des flux de millions de conversations, de partage de documents numériques (textes, photos, vidéos…), qui se développent dans la sphère personnelle, mais aussi dans le secteur de l'éducation et des entreprises.

L'étape suivante, en cours de réalisation, est bien sûr la diffusion vidéo en direct sur le Web via le téléphone portable, déjà possible grâce à des start-up de vidéos en streaming, comme Qik, Kyte, Livestream. Les téléphones mobiles rendent possible la collecte de moments de la réalité qui ne l'était pas auparavant. Un portable avec une caméra aujourd'hui, c'est une station TV dans votre poche ! Ou un talk-show radio en live !

L'époque où chacun lisait chaque jour son journal imprimé est derrière nous. Il devient d'ailleurs physiquement difficile de trouver des quotidiens papier dans certains centres-villes américains, voire même dans des grands hôtels aux États-Unis. Cette année, pour la première fois, des prix Pulitzer ont récompensé des sites Web d'info. Le règne sans partage des médias traditionnels, financés par de la publicité globalement inefficace, est lui aussi terminé.

C'est un nouveau temps de cocréation avec les « consommacteurs » de l'information, de production pluridisciplinaire en réseau, d'innovations dans la distribution sur les réseaux.

Le public, guidé par les progrès technologiques, réclame pertinence, instantanéité, facilité d'utilisation, localisation, connectivité, personnalisation de l'information, pour simplifier et enrichir sa vie. De l'information utile au moment présent et venant de multiples canaux.

Le phénomène Facebook : un nouveau Web à part entière ?

Énorme succès de Facebook qui, d'un simple site pour étudiants américains, est vite devenu un lieu de socialisation grand public, d'abord pour adultes anglo-saxons, puis dans de nombreux pays riches. On compte aujourd'hui plus de six cents millions d'utilisateurs !

Facebook représente 25 % de toutes les pages vues aux États-Unis, c'est-à-dire à peu près 10 % de toutes les pages vues chaque jour sur tout le Web.

Pour des dizaines de millions de personnes, Facebook est désormais la porte d'entrée du Web et l'outil principal de communication avant même le courrier électronique. De plus en plus aussi, Facebook sert d'identité numérique aux internautes tandis que certains business ne donnent même plus les URL de leur site, mais proposent qu'on les retrouve sur Facebook.

Facebook, où un utilisateur sur quatre vient d'Asie ou du Moyen

Orient, est aussi le lieu dominant d'accueil des photos, vidéos, commentaires, liens vers la musique et jeux mis en ligne par le public.

Facebook, c'est aussi de plus en plus un site où les gens s'informent : Facebook offre la possibilité de se bâtir son propre canal de distribution d'infos et devient l'une des origines de trafic les plus importantes vers les sites de médias après Google, Yahoo ! et MSN, mais loin devant Google News désormais.

Facebook, troisième site le plus consulté, est aussi en train de vite rejoindre Yahoo !. Pendant les fêtes de fin d'année 2009, Facebook a dépassé Google aux USA.

Les trois quarts des Américains qui s'informent en ligne obtiennent leurs infos soit par courriel, soit par les réseaux sociaux. Et 52 % d'entre eux vont les relayer sur le Web.

En ouvrant sa plate-forme technologique, Facebook a permis l'essor extraordinaire de dizaines de milliers de *widgets*, vite devenus addictifs.

Sa stratégie de monétisation, souvent décriée au nom du respect de la vie privée, passe par un marketing ciblé et viral de ses utilisateurs. En d'autres termes, la revente aux annonceurs des profils et des comportements en ligne.

Inquiet de la rapidité du succès de Google, Microsoft a vite pris une petite participation dans Facebook pour devenir de plus en plus un média, dont la stratégie est tournée vers la publicité, les sites de socialisation et les mobiles.

Les médias traditionnels ont dû s'y mettre ! Le magazine *The Economist* entend acquérir en six mois cinq cent mille fans sur Facebook et sept cent cinquante mille *followers* sur Twitter afin d'augmenter son trafic, d'acquérir de nouveaux lecteurs et de faire davantage partie des conversations et des débats autour des news. Le *Washington Post* a décidé d'intégrer Facebook sur son site en proposant « Network News ». Tout comme de nombreux autres médias américains – ESPN, CNN – et des fédérations sportives.

Les médias traditionnels se dotent d'équipes éditoriales et marketing dédiées aux réseaux sociaux : *USA Today*, le *New York Times*, Condé Nast Media Group, AP, l'AFP.

En France, la page Facebook qui avait le plus de fans, mi-2010, était celle du *Monde*.

La folie Twitter : du gazouillis au vacarme !

> Beaucoup des journalistes qui se montrent sceptiques à l'égard de Twitter le sont parce qu'ils croient déjà savoir ce qu'ils doivent trouver. Moi, je dois trouver ce qu'il y a à savoir.
>
> Paul Lewis, journaliste d'investigation du *Guardian*

Comme souvent, l'application a été détournée de son objet initial. Il ne s'agit plus de répondre à « que faites-vous ? », mais à « quoi de neuf ? », et surtout d'y partager en temps réel ses découvertes et parfois quelques réflexions, coups de cœur et coups de gueule, avec une communauté. C'est comme un bon titre ! Et il est facile en cent quarante caractères de donner un lien pour illustrer son propos et emmener vagabonder son lecteur.

Seule la pratique, très simple, permet de découvrir le potentiel et la richesse des gazouillis !

C'est devenu pour beaucoup un média personnel sur mesure. Il permet de rester informé, sur ordinateur ou par le biais du téléphone portable, via des médias, anciens et nouveaux, sélectionnés, et de suivre des individus dont l'avis et les recommandations comptent pour nous. C'est un peu la fin de la domination du « *search* » et le début de celle de la découverte d'informations via l'actualisation de flux en temps réel, comme le font, depuis longtemps, les agences de presse.

Quand l'information s'emballe, seuls les journalistes avaient jusqu'ici la chance de rester accrochés aux téléscripteurs. Aujourd'hui, les « news junkies », les accros de l'info, peuvent en faire autant ! Twitter, c'est le scanner de la police du XXIe siècle !

Twitter, qui privilégie brièveté et concision, est beaucoup plus proche du monde des médias que les autres grands réseaux sociaux (Facebook, MySpace, YouTube…). Ce sont d'ailleurs des « news junkies » qui le plébiscitent, selon une étude publiée en 2009 par Marke-tingProfs.

Twitter est utilisé par des « news junkies » qui visitent des sites d'info deux à trois fois plus souvent que la moyenne.

Twitter est train de révolutionner rapidement la manière dont fonctionne l'ensemble de l'écosystème de l'information, du journaliste au consommateur, en effaçant les lignes entre les deux.

La plate-forme Twitter a surgi sur les radars des médias lors du tremblement de terre en Chine en mai 2008, puis, spectaculairement, lors des attaques à Bombay à l'automne de la même année, et ensuite lors de l'amerrissage de l'avion dans l'Hudson à New York. Dans tous les cas, ce sont des témoins, sur place, qui ont donné l'alerte via Twitter, et leurs téléphones portables, plus vite que les agences, plus vite que les télévisions. Comme récemment en Tunisie.

Twitter est devenu le système nerveux d'Internet. C'est là où nous apprenons les grandes nouvelles.

Pour les médias et les journalistes, Twitter c'est d'abord :

a) un système d'alerte (surveillance avec des mots-clés) sur de possibles *breaking news* et un outil de veille. Certaines rédactions, comme celles du *Telegraph* à Londres, ont mis Twitter sur leur mur d'images. Les grands médias en continu – BBC, CNN, Reuters, l'AFP – l'utilisent pour être mieux alertés sur d'éventuelles catastrophes naturelles ou attentats, avec les mots « *earthquake* », « *evacuation* », « *explosion* », par exemple. Pour les élections américaines, Twitter avait proposé un fil « élections » qui regroupait les messages des médias pros, des experts et des amateurs relatifs à la campagne ;

b) un canal d'infos et de témoignages en continu et en live ;

c) la possibilité de publier rapidement des contenus entre deux articles ou reportages ;

d) rechercher des informations, trouver des sources, poser des questions, faire des appels à témoin. Pour Jay Rosen, cité plus haut, chaque rubricard devrait suivre mille comptes Twitter différents pour l'aider à couvrir son domaine ;

e) la possibilité de pointer vers des liens sur leurs contenus ;

f) participer au tri, à l'écrémage des informations pour détecter le signal du bruit ;

g) échanger avec leurs audiences.

Twitter, c'est aussi pour eux :

la possibilité de couvrir des événements en direct et de diffuser l'information : le *Washington Post* « twitte » des briefings de la Maison-Blanche, *L'Express* « twitte » depuis le Festival de Cannes, Le Post depuis le congrès du PS à Reims. CNN y donne ses *breaking news*, *Vanity Fair* sa couverture des oscars. Sky News a même nommé un rubricard Twitter [1] !

h) bâtir des communautés autour de l'information, recevoir le feed-back des lecteurs et de l'audience, améliorer la relation client, comme le *Des Moines Register*, ou le *Chicago Tribune*, dont l'ours est entièrement composé d'adresses Twitter [2] ;

i) enrichir leur offre, comme l'a fait Current TV, lors de la soirée de l'élection présidentielle américaine, en proposant sur le côté de l'écran un flux en live de réactions et de commentaires. Comme le fait aussi CNN et le site du *Telegraph*, en intégrant sur certaines de ses pages un flux Twitter autour d'événements (Obama, G20...) ;

j) rester connectés à l'air du temps, prendre le pouls de la société plus rapidement que par les blogs !

Sur Twitter, les hiérarchies conventionnelles ne sont pas non plus respectées : le média qui y a le plus d'influence est Mashable, le blog sur les médias sociaux et le Web, avant même le compte de CNN Breaking News (étude du laboratoire d'HP).

Mais Twitter, c'est aussi un réseau de communication, et l'une des manières les plus faciles d'être en relation immédiate avec d'autres personnes : plus facile que le courrier électronique, aussi simple et plus pratique que les textos.

Comme l'explique son cofondateur, Evan Williams, un système de mise en relation asynchrone, désorganisé et asymétrique : la communauté que l'on suit est différente de celle qui nous suit. Ce qui

---

1. Voir http://www.guardian.co.uk/media/pda/2009/mar/05/twitter-socialnetworking1.
2. Voir http://news.cnet.com/8301-13772_3-10200438-52.html.

permet d'être à peu près sûr de ne rien rater ou presque ! Mais aussi d'être libre d'y passer chaque semaine une minute comme deux heures. Aucune importance ! C'est une rivière qui coule en bas de chez vous, où vous pêchez les poissons que vous avez choisis.

Une immense base de données, accessibles instantanément. Un outil de sondage.

Comme Flickr pour les photos, Delicious pour les *bookmarks* ou YouTube pour les vidéos, Twitter agrège les flux de discussions en temps réel.

Un réseau qui siphonne l'énergie des blogueurs et donne un coup de vieux aux blogs !

Aux USA, plus d'un tiers des journalistes traditionnels contribuaient en 2010 au réseau Twitter et utilisaient déjà les réseaux sociaux dans leurs recherches ; 39 % d'entre eux produisent des contenus pour un blog dans le cadre de leur travail.

De plus en plus de médias traditionnels se dotent de coordinateurs ou d'éditeurs en charge des réseaux sociaux et bien sûr de *community manager* pour mieux être en prise avec leur audience.

Le *New York Times* sur un gros événement a ainsi recours à Twitter en parallèle des activités de *live blogging* (bloguer en temps réel) depuis un desk qui fonctionne en continu. Twitter devient vite une source importante d'informations, notamment dans des terrains difficiles (Iran, tremblement de terre, manifestations, etc.). Rapidement également des relations de confiance s'instaurent avec certains émetteurs de *tweets*.

Les journaux américains profitent bien de Twitter : dans l'ordre, fin 2010, le *New York Times* comptait 2,7 millions de *followers*, le *Wall Street Journal* cinq cent mille, le *Washington Post* deux cent mille.

De nouvelles plates-formes de publication faciles à utiliser

Parallèlement à Facebook et à Twitter se sont développées de nouvelles plates-formes de blogs au fil de l'eau, encore plus faciles à utiliser et à alimenter. On parle parfois de « *live streaming* ».

L'intérêt est pour le journaliste de poster en ligne des documents très aisément pour coopérer avec sa rédaction, ses éditeurs durant un reportage. Utile aussi pour développer sa propre notoriété, voire sa marque.

Exemples :

a) Tumblr : moyen extrêmement simple de mettre sur le Web des contenus texte, photo et vidéo ;

b) Posterous : encore plus facile ! Il suffit d'envoyer ses contenus par courriel pour les poster en ligne.

Nouvelle étape : les réseaux sociaux géolocalisés

Ce sont des services basés sur le lieu où sont situés physiquement les internautes qui s'enregistrent et échangent leurs informations. La géolocalisation est intimement liée à l'essor de la diffusion d'informations en mobilité.

Deux réseaux sociaux géolocalisés américains se détachent : Foursquare et Gowalla. Google et Apple y travaillent dur. Un site français est présent : Dismoioù.

Foursquare, créé en 2009, et qui ajoute une dimension ludique, devait atteindre un million d'utilisateurs mi-2010.

Des marques de médias commencent à travailler avec Foursquare, comme le *Financial Times*, le *New York Times*, *Metro News* au Canada. Mais aussi HBO, Zagat, Bravo TV, Warner Bros, History Channel, etc. Leurs audiences y reçoivent des recommandations pertinentes en fonction de leurs trajets. *National Geographic* et le *Washington Post* ont décidé de s'allier avec Gowalla.

Lors du tremblement de terre de janvier 2010 en Haïti, ces applications ont joué un rôle important dans les opérations de secours et la transmission d'information.

D'ailleurs, en quelques jours, avant même l'arrivée des grands reporters et des envoyés spéciaux à Port-au-Prince, cinq mille photos avaient déjà été postées sur Flickr par des témoins, sauveteurs, pompiers, ONG, humanitaires, etc.

i) « Si une info est importante, elle me trouvera ! »

Les médias traditionnels continuent aujourd'hui de jongler entre les deux notions du *push* (« pousser » ou proposer ses contenus sur le plus grand nombre de supports possibles pour maximiser les chances de les mettre en contact avec le public) et du *pull* (encourager le consommateur à venir chercher l'information).

Le *push* correspond à une logique de l'offre, le *pull* à celle de la demande. En gros, le menu ou la carte. Le « bon pour tous » ou le choix.

Le contrôle du sur-mesure et de la personnalisation est la principale bataille engagée aujourd'hui entre les différents grands acteurs : Apple, Microsoft, Google, les opérateurs de téléphonie mobile, les fabricants, les médias, les *pure players*, les agences de pub, les annonceurs.

Le public, et les jeunes en particulier, a de moins en moins besoin des médias. Les informations circulent, parmi eux, sur la base de recommandations. Recommandations des amis, des proches, des collègues, qui pointent vers tel ou tel site, telle ou telle vidéo. C'est du *push*, mais pas par les médias.

« Si une info est importante, elle me trouvera ! », résumait un étudiant interrogé en 2008 par le *New York Times*, qui donne plusieurs exemples de ce phénomène, notamment dans le suivi de la campagne présidentielle américaine.

Si tout le monde ne devient pas journaliste, chacun peut aujourd'hui être un passeur de nouvelles, mission remplie jusqu'ici par les journalistes qui jouaient ce rôle de filtre professionnel. Les jeunes deviennent des transmetteurs d'informations, grâce notamment au succès des réseaux sociaux (Facebook, Twitter, LinkedIn...).

« Je préfère lire un mail d'un ami avec un lien attaché, que chercher l'info dans un journal », commente un autre étudiant, militant politique.

C'est aussi la fin de la domination du *search* et l'essor de la découverte d'informations via l'actualisation de ces flux en temps réel qui s'écoulent devant nous. « Je m'informe auprès des gens que je juge intéressants. Auparavant, j'allais directement sur le site de news ! », résume un *digerati*.

j) Une consommation de plus en plus personnelle :
la carte remplace le menu

Les mass media n'ont plus la cote. Le robinet à nouvelles, ouvert pour tous à certaines heures (journaux TV et radio, par exemple), est dépassé. Les nouvelles technologies permettent de s'affranchir de ces rigidités.

Dans la presse, comme dans la musique, la dématérialisation est au rendez-vous, avec la disparition physique des supports.

La crise économique actuelle accélère la migration numérique, qui permet au public de contrôler le moment et le lieu de consommation de contenus. La consommation d'informations est aussi plus réfléchie.

Chaque jour qui passe voit les contenus d'informations s'atomiser davantage. Comme dans la musique, qui, en vain, a tenté de résister à ses consommateurs, et où le CD a perdu face à iTunes (nous ne sommes plus forcés d'acheter onze morceaux en plus de celui que nous voulions), chacun peut, avec de bons outils, faciles, gratuits, obtenir directement les flux désirés. Jusqu'ici, les journaux nous obligeaient à acheter un ensemble d'éléments (articles sur l'actualité étrangère, nationale, locale, sportive, culturelle, mots croisés, programmes TV, etc.) que nous ne souhaitions pas nécessairement dans leur totalité.

Chacun peut avoir une information sur mesure, en fonction de ses goûts, de ses centres d'intérêt, de sa curiosité. Au moment où il le souhaite et à l'endroit qu'il choisit. Il suffit d'installer un système d'alerte sur son téléphone, de configurer les flux RSS de ses sites favoris sur son ordinateur, de « podcaster » ses émissions de radio ou de recourir à la vidéo à la demande pour accéder à son programme de télévision.

Les outils du Web 2.0 sont simples, conviviaux et permettent d'accéder à l'information en très peu de clics et en un temps record.

La distribution des contenus change. Dans le passé, nous devions avoir le journal en main ou allumer la télévision. Puis, avec l'arrivée d'Internet, nous rendre sur une page Web d'un site d'info. Aujourd'hui, les contenus arrivent à nous grâce aux flux RSS qui les redistribuent où nous le souhaitons et à l'application Ajax qui permet la personnalisation du navigateur en affichant différents modules sans avoir besoin de recharger la page.

L'information est partagée, mais pas nécessairement recherchée. Et quand elle est recherchée, c'est de plus en plus souvent à la source : vidéo de discours, interviews, qui font ensuite l'objet de discussions en ligne. On se passe du contexte, des commentaires ou des analyses apportées par la presse. Les discours d'Obama sont vus, partagés, voire édités plusieurs millions de fois sur YouTube et Facebook. La vidéo prend une part de plus en plus importante sur le Web. Le public semble s'intéresser aussi parfois davantage à un journaliste individuel qu'à une marque (en raison notamment des outils d'accès et de partage).

Certains craignent, à juste titre, de voir le public réduire ainsi son champ de vision et ne plus être exposé à l'heureux hasard, la sérendipité, d'un choix d'informations collectées et réunies par d'autres (les journalistes) et jugées importantes, parfois cruciales.

Le risque est aussi de voir les individus de plus en plus concentrés sur leurs propres centres d'intérêt et de moins en moins sollicités par des sujets extérieurs, y compris de nature politique, sociale ou internationale.

k) S'informer en mobilité

Avec bientôt plus d'appareils que d'ordinateurs et déjà beaucoup plus de connexions sans fil que de lignes fixes, le téléphone portable, en plus d'être un outil surpuissant de lien social, devient la nouvelle porte d'entrée, personnelle et locale, sur Internet et les mondes virtuels, grâce à des réseaux de plus en plus rapides et performants, et bientôt le recours aux serveurs « dans les nuages ».

L'année 2010 a marqué l'explosion de la consommation et de la portabilité par mobile de données (textes, photos, vidéos), désormais supérieures au transport de la voix (en recul, mois après mois), mais aussi l'essor de la publication de données et d'informations, via les réseaux sociaux.

Les nouveaux appareils de la mobilité (smartphones, tablettes, lecteurs e-book connectés, netbooks...) deviennent des assistants de nos vies quotidiennes, les fameux « couteaux suisses » dont rêvait le constructeur de Palm-Pilot à la fin des années 1990. Les netbooks ont été les appareils les plus vendus en 2009. Aujourd'hui, ce sont les tablettes.

D'ici moins de cinq ans, il y aura plus d'utilisateurs d'Internet en mobilité que par l'accès depuis un ordinateur fixe à la maison ou au bureau. Au Japon, le téléphone portable est déjà davantage utilisé que l'ordinateur comme support d'informations.

L'iPhone, en assurant enfin l'arrivée d'Internet sur nos portables, a tout changé. Le téléphone, qui devient un terminal intelligent, est en train de ravir la première place à l'ordinateur. En moins d'un an, plus d'un milliard d'applications iPhone ont déjà été téléchargées. Il en existe plus de trente-cinq mille différentes en catalogue, dont la plupart sont gratuites. Avec tous ces services pratiques (news, sports, finance, météo...), l'iPhone se transforme en vrai journal. Nous nous moquions des Japonais, mais il n'est plus inimaginable de lire des romans sur son téléphone portable ! Demain, les lecteurs e-book connectés seront des opportunités pour la presse et l'édition.

Tous les grands acteurs technologiques veulent prendre le contrôle de nos poches et de nos cartables.

Tablettes et terminaux nomades :
révolution des usages et espoir de la presse

L'arrivée en 2010 des tablettes constitue le développement infor-matique le plus important depuis l'arrivée des micro-ordinateurs et la première vraie opportunité des médias depuis l'émergence de la crise économique. Elles risquent bien de transformer trois industries qui convergent actuellement à grande vitesse (l'informatique, les télécommunications et les médias).

Avec leur écosystème en cours de constitution, elles créent un nouvel usage, ouvrent un nouveau marché (une dizaine disponible fin 2010, une centaine en 2011) et vont créer une nouvelle relation entre le public et les contenus, entre le public et l'informatique connectée, notamment par ce lien tactile révolutionnaire qui permet de surfer avec les doigts et ce Web embarqué, qui vont devenir la norme pour les petits objets.

L'iPad d'Apple, vendu à plus d'un million d'exemplaires le premier mois, s'ajoute aux autres appareils nomades (téléphones, laptops, baladeurs). Avec un produit sui generis, Apple, fort de plus de cent millions de clients, tente pour la quatrième fois une révolution des usages, après avoir déjà transformé l'industrie des ordinateurs individuels (Macintosh), de la musique (iPod) et de la téléphonie (iPhone).

Il offre la combinaison unique des qualités de l'imprimé, du Web et de la mobilité, et y ajoute une interface tactile. Et surtout un design séduisant de l'appareil et de ses contenus.

L'iPad créé, avant tout, un nouvel usage et offre un nouveau plaisir de consommation de médias en mobilité.

Ajoutez-y vos comptes Twitter ou Facebook, et vous obtenez un magazine social, à l'image de la très belle application Flipboard développée pour l'iPad.

La forme, le confort, la durée, le plaisir de lire, de surfer sur le Web avec ses doigts, de regarder des images fixes ou animées de grande qualité, vont reprendre du poil de la bête. Plus besoin de câbles, de clavier, de souris. Donc beaucoup moins de soucis techniques en perspective.

Nous avons, avec l'ardoise d'Apple, un autre mode, neuf et original, de consommation et de partage d'informations et de connaissances, sur le canapé, à la cuisine, dans le train ou l'avion, sur son vélo de gym, à l'école ou à l'université, etc.

L'écran large permet une immersion plus grande dans les contenus que n'offre pas l'iPhone et va favoriser des contenus de fond associés à beaucoup de visualisation.

L'image est de très belle qualité, l'appareil est très rapide, le logiciel est performant et dispose d'une batterie de plus de dix heures. Le clavier virtuel est facile d'utilisation. L'absence totale de mode d'emploi dans l'emballage signe bien l'aspect intuitif de son utilisation.

Le laptop a aussi pris un sacré coup de vieux et risque bien de rester désormais à la maison, pour des utilisateurs d'Internet occasionnels. Le Kindle d'Amazon, toujours en noir et blanc, fait aussi désormais penser au Télécran rouge de notre enfance !

L'iPad recrée de la structure, dans un monde de contenus devenus, ces dernières années, de plus en plus fragmentés, parcellisés, atomisés, déstructurés, et bien trop rapidement consommés à la pièce.

Sur l'iPad, on entre dans un média par l'application et donc par une première page, et non par un lien ou par la fenêtre. La composition, la mise en scène et le design de contenus sophistiqués retrouvent une place prépondérante.

Les médias y retrouvent une audience passive plus classique et une position d'autorité, à hauteur des investissements consentis pour offrir des contenus créatifs.

C'est un outil idéal de lecture et de consommation de vidéos (séries, films…) et probablement de contenus dont nous n'avions pas idée jusqu'ici. Beaucoup vont dépendre de la manière dont les développeurs vont créer autour un nouvel écosystème.

Les tablettes seront-elles de nouveau des outils de distribution de masse de contenus contrôlés (comme les journaux, la télé, la radio) ? Feront-elles revenir l'audience vers de l'information payante ? Les éditeurs seront-ils à la hauteur de cette nouvelle et peut-être dernière opportunité ? L'iPad sauvera-t-elle la relation entre publicité et éditeurs ?

C'est en tout cas une révolution qui s'annonce pour le monde de l'éducation et déjà un formidable appareil de consommation de médias, pour de l'informatique de loisirs passifs (*couch computing*), et donc un nouveau canal de distribution. Nouvelle forme d'accès aux consommateurs pour les marques, l'espoir est d'y vendre un contenu professionnel et que les annonceurs suivent.

Attention toutefois à la tentation de « minitelisation » du Web ! Ne réussiront que ceux qui investiront pour y créer une nouvelle valeur pour le consommateur. Les éditeurs doivent se mettre vite au Web mobile et aux tablettes, réinventer leurs contenus, stimuler leurs journalistes, créateurs et développeurs, et travailler avec les départements marketing pour proposer de nouvelles offres.

Il faut donc que les éditeurs et producteurs de contenus (journaux, magazines, livres, films…) créent une nouvelle valeur ajoutée, une nouvelle expérience, et s'adaptent à ce nouveau support. Ils ont pour eux un savoir-faire en matière de design et de relation aux annonceurs.

Mais s'adapter ne veut pas dire renouveler l'erreur des années 1990 sur le Web 1.0, c'est-à-dire injecter, sans modification, leurs contenus existants dans l'iPad… Car après quinze ans d'Internet, le public ne prévoit pas de consommer son magazine ou son journal sur un outil multimédia comme sur de l'imprimé. D'autant que les jeunes générations sont aujourd'hui habituées à consommer des centaines de contenus différents gratuitement.

Il va donc falloir être créatif et imaginatif pour remettre du payant dans le numérique. La mobilité est une bonne occasion. La contextualisation, l'enrichissement de la lecture, du visionnage, de la documentation aussi. Une nouvelle narration multimédia est à inventer.

La barrière à l'entrée est haute. L'iPad va favoriser la créativité des producteurs qui peuvent investir, donc les médias riches et dotés de capacités de création multimédia et de fonds numériques. À eux d'inventer les contenus de demain et les liens entre ces contenus et les réseaux sociaux. Mais les médias classiques ne seront plus les seuls à tenter d'investir ce nouveau support. Il va leur falloir compter avec la créativité et les moyens des grands de l'informatique, des « telcos », des amateurs. Attention donc à l'échec du CD-Rom des années 1990 !

D'ores et déjà, le *New York Times*, déjà présent sur l'iPad, a indiqué avoir créé un département spécial dédié aux applications « *readers* » (lecteurs). Les magazines et les sites Web d'hier n'ont pas été conçus pour ce nouvel appareil tactile. Les magazines et les journaux ne pourront pas s'y développer sans fonctions audio et vidéo.

Les magazines, pour qui le design et le confort de lecture sont des clés pour attirer les lecteurs, vont devoir travailler dur. Pour rester pertinents, il faudra proposer bien plus que les contenus actuels. Et il leur faudra s'adapter une nouvelle fois à une périodicité toute différente. Vont-ils aussi pendant le même temps dépenser énergie, temps et argent à continuer à protéger leurs versions imprimées ?

Une nouvelle forme de journalisme plus lent et de toute façon multimédia pourra s'y développer. Les webdocumentaires, en plein essor actuellement, devraient s'y sentir très bien. En dix jours, l'appli iPad gratuite du *Guardian* avait déjà été téléchargée cinquante mille fois.

Et attention, ils n'y seront pas seuls ! Déjà les télévisions, les radios, les jeux vidéo entendent profiter de ce média visuel.

Encourageant une nouvelle forme de lecture numérique, les tablettes peuvent encourager une nouvelle forme de journalisme, plus riche, davantage orientée sur le long-terme et plus multimédia. En somme, plus magazine et moins instantanée.

Les tablettes ne sauveront donc pas les médias qui sont déjà sous la ligne de flottaison, qui sont déjà dépassés par le Web fixe, ou n'ont pas les capacités d'investir, mais elles donneront un coup de fouet aux plus puissants. C'est pour eux l'une des meilleures nouvelles depuis des années. Mais pour les autres le coût pour générer des revenus supplémentaires sera trop élevé.

Nous n'en sommes en tout cas qu'au tout début du Web mobile et des tablettes, même si les ventes de ces dernières (iPad, lecteurs e-book,) devraient atteindre douze millions d'unités en 2010 après cinq millions en 2009 et un million en 2008. Certains parient sur soixante millions d'ici trois ans.

L'autre grande technologie de la mobilité :
l'encre électronique des lecteurs e-book

L'avenir, c'est le papier ! Électronique, bien sûr ! En couleurs et bientôt flexible ! Le papier devient plastique !

C'est d'Asie que vient cette nouvelle vague technologique : l'encre électronique est composée de pigments d'encre ou de particules prisonnières de microcapsules, traversées par un faible courant. La Corée du Sud, qui a fait de l'écologie une priorité nationale, et la Chine en sont les deux grands moteurs. Le Japon et Taïwan suivent de près. Le Kindle d'Amazon en est le représentant le plus connu.

La fin de l'année 2010 a marqué l'arrivée plus convaincante de la couleur sur ces appareils en Asie. Des feuilles quasi flexibles ont aussi été présentées à l'automne 2009. Les lecteurs sont désormais communicants (Kindle et Barnes & Noble).

Parions que l'encre électronique marquera également un nouveau tournant dans les usages. Le secteur scolaire (manuels interactifs) devrait être un des premiers utilisateurs. Puis les hôpitaux, les transports, les aéroports, les documents techniques.

Addiction à la mobilité

Il faut donc déjà compter aussi avec un nouveau phénomène d'addiction à la mobilité, lié à l'explosion de la bande passante, à la superminiaturisation des applications, au basculement d'un univers par abonnement vers des offres illimitées à très haut débit, à l'essor des tablettes et des smartphones.

Les smartphones (iPhone, BlackBerry...) et les tablettes (iPad) remplissent de plus en plus le rôle d'ordinateur vraiment personnel et deviennent grand public. Ils deviennent le centre de nos vies numériques.

Aux États-Unis, le nombre d'Américains utilisant l'Internet mobile a progressé de 34 % en un an !

L'Internet sur soi se développe via les iPhone, les tablettes, les ordinateurs portables, les consoles de jeux. En 2020, les ventes de ces supports devraient être dix fois supérieures aux PC et probablement faire apparaître de nouveaux géants industriels.

Demain, le défi sera de répondre aux demandes de disposer d'informations pertinentes en fonction de sa localisation, de l'heure de la journée, de sa motivation professionnelle ou privée, etc.

l) La course à l'attention

Le plus grand ennemi des médias traditionnels n'est pas Internet, mais le temps disponible, notre ressource la plus rare. Le numérique a démultiplié les informations, en en faisant baisser la valeur. Plus il est facile de communiquer et plus il est dur de se faire entendre !

« *News is free.* » Faux, rétorque Google. Les gens paient ! Avec quoi ? Avec leur temps !

> Ils vous paient avec le temps qu'ils passent sur vos contenus, ils vous paient avec leur attention qu'ils consomment pour les recevoir. C'est cette attention que les annonceurs veulent.

Jusqu'ici, les médias vivaient essentiellement de la publicité, c'est-à-dire vendaient leurs audiences aux annonceurs. Aujourd'hui, tout le monde court après le fameux « temps de cerveau humain disponible ».

C'est donc une nouvelle économie de l'attention qui régit désormais les médias. Mais il n'y a que vingt-quatre heures dans une journée, et l'offre est surabondante. Le choix est de plus en plus vaste et donc le temps dévolu aux médias traditionnels de plus en plus restreint.

Depuis le milieu des années 2000, le temps passé en ligne par les Européens, via au moins une plate-forme – téléphone portable, ordinateur fixe ou portable, tablette –, a dépassé celui consacré aux journaux et aux magazines.

L'ordinateur, conçu pour économiser le temps, est, comme avec la télévision, en train de l'engloutir !

De nouvelles routines de consommation du temps média apparaissent : la radio au petit déjeuner, le journal TV avant le coucher, les pages Web à l'arrivée au bureau, l'appel téléphonique à la famille le dimanche, le SMS pour confirmer son arrivée.

Mais la consommation d'informations en « multiactivité » gagne aussi du terrain et n'est pas seulement le fait des natifs numériques. Aux États-Unis, 40 % des gens qui regardent la TV surfent en même temps sur Internet, 60 à 70 % des gens consomment plusieurs médias à la fois.

Nous sommes à l'heure des ordinateurs portables ultralégers, MacBook Air, *notebooks*, tablettes, smartphones, ultramobiles, qu'on a tout le temps sur soi, et qui sont tout le temps connectés. D'où un usage multiple de médias de plus en plus en background, en fond d'activités : le courriel, la messagerie instantanée, voire la lecture de journaux en ligne se font en même temps que l'écoute de musique, de contenus radios et télévisuels.

Le pouvoir de concentration semble, sur Internet, beaucoup plus réduit. Une source d'information alternative, un autre journaliste ne sont, sur le Web, qu'à un clic de distance ! C'est bien une attention en permanence partielle ! « L'attention des gens est tellement réduite qu'ils veulent soit un article court avec un centre nerveux clair, soit un livre qu'ils liront dans l'avion », résumait récemment Tina Brown, l'éditrice du site américain Daily Beast.

Tout ce temps numérique est pris au temps social, même si une partie est consommée en échanges virtuels sur les réseaux communautaires.

Nous sommes proches d'un crash de l'attention ! Ce moment où les informations, que nous voulons ingérer, excéderont notre capacité d'attention.

Mais, dans cette course à l'attention, devenue une denrée très rare, la mission de filtre du journaliste, nous le verrons plus loin, va être essentielle. Elle sera notamment de faire gagner… du temps.

3. PERTE DE CONFIANCE ET PROBLÈMES DE CRÉDIBILITÉ
POUR LES JOURNALISTES

> Le journalisme est un métier où l'on passe une moitié de sa vie à
> parler de ce que l'on ne connaît pas, et l'autre moitié à taire ce que
> l'on sait.

Henri Béraud (1885-1958)

a) La déconnexion entre le public et les médias d'information
est patente et inquiétante

Les problèmes de crédibilité des journalistes et des médias traditionnels ne datent pas d'aujourd'hui. Mais la désintermédiation, née
de la prise de parole du public, a été favorisée par un sentiment de
défiance envers les journalistes, beaucoup plus souvent montrés du
doigt, dans une société de plus en plus méfiante vis-à-vis des corps
constitués. C'est un rejet de la médiation obligée. Le journaliste est
descendu de son piédestal.

L'image des journalistes dans la société a ainsi continué de se
dégrader : leur profession se situe à la 184e place sur 200 aux États-
Unis, après les policiers, les chauffeurs de bus ou les dockers. Les
photographes de presse (souvent assimilés trop vite aux paparazzis)
font encore pire.

Au milieu des années 1970, 70 % des Américains leur faisaient
confiance, aujourd'hui ils ne sont plus que 47 %, selon un récent sondage Gallup. Le déclin s'est accéléré au début des années 2000. Et
2010 a atteint un niveau record de défiance envers les médias d'informations traditionnels, à 57 % de la population américaine.

Plus des deux tiers des Américains jugent que les journalistes
traditionnels ne sont pas en phase avec les sujets qui les préoccupent et 64 % d'entre eux estiment que le journalisme actuel est de
faible qualité, selon un sondage We Media/Zogby Interactive de
2009.

Cette tendance se retrouve, en France, dans l'étude annuelle du journal *La Croix*.

Les causes de cette accélération de la défiance sont multiples. Citons-en quelques-unes : le public voit bien désormais, via Internet, le manque de sérieux des exclusivités, et parfois des expertises, s'aperçoit que les informations, qui viennent le plus souvent des agences de presse ou de communiqués de presse, sont à peu près partout les mêmes, se désole de la pauvreté, du manque de courage et de suivi dans les questions posées aux grands de ce monde. La multiplication des sources anonymes, « autorisées », « sûres », « proches de », « dans l'entourage », etc., n'aide guère, pas plus que les opinions masquées derrière des formules vagues (« certains pensent que… »), et ajoute à la distance ressentie.

L'absence de transparence dans le processus de collecte de l'information des entreprises de presse gêne. Le public aimerait en savoir davantage sur la manière dont une information sort au grand jour, sur la façon dont elle est d'abord proposée au journaliste, connaître ses critères de tri dans une interview, le contexte d'une citation, son agenda personnel, etc.

À cela s'ajoute la fréquente et trop proche proximité, la connivence, avec les sources (géographique, intellectuelle, voire intime) conduisant, hélas, souvent à des décennies d'autosatisfaction, alimentée par le sentiment douillet du monopole de la parole et d'un sentiment d'invulnérabilité.

b) *Du cours magistral à la conversation*

La tradition du journalisme au XXe siècle a été dominée par une attitude du type « je parle, ils écoutent ». Une attitude de surplomb et de magistère qui ne peut plus fonctionner aujourd'hui.

Est-il possible que les lecteurs en sachent plus que moi ? Eh bien oui ! Et en plus ils sont heureux de partager leur savoir ! Et ils ne se privent plus de réagir et de commenter.

Nous assistons donc à la fin du journalisme magistral et institutionnel. Comme dans beaucoup d'autres secteurs de la société, le *top-down* (fonctionnement opérationnel du haut vers le bas d'une organisation) est remis en question. Le public ne vient plus comme auparavant vers les médias traditionnels. Il revient à ces derniers de renouer le lien et d'aller vers le public dans une nouvelle conversation.

En plus de l'exactitude, de la rapidité, de la pertinence, et désormais de la personnalisation et du dialogue, le public réclame aux journalistes une relation de confiance. Et contrairement à ce que les partisans du maintien de la logique de l'offre disent, le public n'est pas seulement friand d'articles « people » !

*c) Les médias ont aussi perdu le monopole de l'agenda
de l'information : la transparence, nouvelle objectivité ?*

Ce ne sont plus seulement les journalistes qui le donnent chaque jour.

Les recommandations des proches, amis, collègues, dans les réseaux sociaux, sont plus importantes, sur Internet, que les éditoriaux de *Libération* ou du *New York Times*. Rejet des anciens prescripteurs et volonté de diversité dominent. La demande d'informations est forte, mais les vieux modèles, moins crédibles à tort ou à raison, sont en train de mourir. Les vieux monopoles ont disparu.

Au point que le Daily Show de Jon Stewart, sorte de journal télévisé satirique, un peu comme le Petit Journal de Canal+ en France, est jugé plus fiable aux États-Unis que les informations des grands *networks*.

Les journalistes sont peu habitués à cette transparence, pourtant réclamée par le public. Les codes de déontologie commencent à fleurir çà et là dans les rédactions.

Si certains s'en passent, d'autres, comme les nouveaux venus, s'en dotent rapidement. Voici, par exemple, les neuf valeurs fondamentales à appliquer, depuis 2007, chez Yahoo ! News pour traiter l'information :

[...] obligation de vérité, loyauté vis-à-vis du citoyen, discipline de vérification, rendre l'information intéressante et pertinente, accueillir dans un forum les critiques du public et faire des compromis, agir comme un observateur indépendant des pouvoirs, garder l'information compréhensible et ne pas l'exagérer, exercer sa conscience personnelle, maintenir son indépendance.

Jay Rosen, professeur de journalisme à l'Université de New York, recommande même aux journalistes de ne plus « surjouer l'objectivité », mais de dévoiler leurs motivations et leurs points de vue.

Évitez la posture du journaliste objectif pour chercher le respect. Elle ne convainc plus personne aujourd'hui ! Faites preuve de transparence dans votre travail et les gens vous feront confiance.

Victime de la désacralisation de l'information, le clergé médiatique reste choqué par la fragilité de son autorité et de son influence, par la dissolution de sa légitimité dans le grand vacarme numérique. D'où l'incompréhension aujourd'hui, la difficulté de la remise en question sous pression.

Tout ça, « c'est de la faute des lecteurs. Mais pourra-t-on faire du grand journalisme si le public s'en fout ? », se demandait, déjà en 2005, la *Columbia Journalism Review* américaine.

4. LE DÉCLIN DES MÉDIAS TRADITIONNELS : UNE CRISE SYSTÉMIQUE

a) Les vagues de la révolution numérique déferlent

Les vagues de la révolution numérique continuent de déferler, rapides, continues, imprévisibles. Des vagues abruptes, d'une puissance inouïe, qui brisent les modèles d'affaires, détruisent de la valeur, chamboulent les oligopoles, bouleversent l'activité marchande, effacent les frontières, emportent les certitudes, noient sous un flot grandissant d'informations.

Des vagues, aussi, hélas, semaine après semaine, de licenciements et de plans sociaux, dans les médias traditionnels, américains et européens.

Le vieux monde des médias traditionnels, en permanence sur la défensive, se délite beaucoup plus vite que ne se bâtit le nouveau.

Pire que les banques ! Depuis l'an 2000, la destruction de valeur dans les grands groupes de médias américains atteint deux cents milliards de dollars !

Les raisons principales en sont l'essor exponentiel de contenus sur Internet où tout le monde est concurrent, un marché publicitaire dévasté, en volumes et en tarifs, pour de longues années, et des consommateurs qui changent radicalement leurs habitudes. La faute aussi au vieux confort des monopoles sur l'accès à l'information et à sa diffusion qui ont disparu. Les journaux n'ont jamais été rentables grâce à leurs contenus, mais en raison de situations de monopole sur les petites annonces, voire sur la publicité.

La presse écrite est entrée en récession en 2007, bien avant la crise économique. Aux États-Unis, c'est seulement la seconde fois en soixante ans que la presse américaine a connu un recul, après un premier en 2001 (bulle Internet et 11-Septembre). La diffusion des journaux est en chute libre aux États-Unis. Les derniers chiffres américains sont effrayants : non seulement, la chute, entamée depuis vingt ans, se poursuit, mais elle s'accélère à un rythme élevé.

Ce qui met la taille du secteur des journaux à un niveau deux fois plus petit qu'il y a vingt ans.

2009, année brutale, aura été la pire pour les médias traditionnels depuis des décennies : entre 1929 et 1933, aux USA, la publicité avait chuté de 13 % et moitié moins après le premier choc pétrolier des années 1970.

En 2009, la dégringolade fut de 25 % en moyenne. La chute des médias fut aussi supérieure d'un tiers à celle des PIB. Dans les journaux américains, la publicité est maintenant revenue à son niveau de… 1965.

Près de cent cinquante quotidiens américains ont fermé leurs portes en 2009, et quinze mille emplois ont été supprimés, après seize mille l'année précédente.

Le secteur des médias, dont la plupart des sociétés ont été inscrites à la cote à l'ère analogique, a beaucoup souffert de cette crise financière. Ils « sous-performent » par rapport à tous les indices. La pression sur les marges n'a jamais été aussi forte.

L'administration américaine a fait savoir qu'elle n'interviendrait pas dans la situation difficile des médias traditionnels puisque, selon elle, et pour l'instant, leur mission continue d'être assurée par eux ou par de nouveaux arrivants.

Face à ce raz de marée numérique, « quand tout le monde prend l'eau, n'espérez pas rester sec. Seulement, peut-être un petit peu moins mouillé », résumait, fin 2009, le patron du Philadelphia Inquirer.

Chacun s'accroche à sa bouée : « *Content is king* ["le contenu est roi"], assurent les uns. Internet n'est qu'un média qui s'ajoute aux autres. »

« Faux, rétorquent les autres. Internet, c'est tous les médias à la fois. L'interactivité en est le moteur, et sera créatrice de valeur. »

Mais le modèle de l'imprimé n'est plus seulement attaqué, il est mourant.

La pub, les petites annonces, les contenus et les lecteurs s'en vont tous sur le Web. Le vieux modèle de la publicité est en bout de course. Les grands annonceurs ont une logique simple : ils coupent les budgets, se concentrent sur les marques fortes et vont sur Internet (pour ne pas se couper des jeunes). Un modèle infiniment plus souple et diffus se met en place, où la taille importe moins. Les audiences se fragmentent, les dépenses publicitaires des annonceurs aussi. Google est de plus en plus montré du doigt, non pas pour le trafic qu'il continue d'apporter aux sites d'information, mais pour l'oxygène dont il les prive (la publicité).

Car le prix escompté des nouvelles, des informations et des loisirs sur le Web reste désespérément nul. Les derniers mois ont donc vu resurgir la tentation de faire payer en ligne pour des contenus d'informations. Dans l'océan du Web, le journalisme de qualité va devenir rare, et donc payant. Faux, assurent les natifs numériques, « accros » à la gratuité, si vous mettez des murs, nous irons voir ailleurs ! Le débat est loin d'être tranché.

Dans cette crise systémique, des médias traditionnels, figés dans les vieux moules du passé, meurent aujourd'hui, alors que nous souffrons d'une boulimie... d'information. Tout simplement parce que les nouveaux médias offrent des contenus et des services que les anciens ne fournissaient pas, à des coûts beaucoup plus bas, et avec beaucoup plus de flexibilité.

Nous assistons à la construction d'un nouvel écosystème des médias, où les nouveaux entrants, agiles et créatifs, s'emploient à exploiter, à leur profit, tous ces centres d'innovation.

Un écosystème où tout le monde pense pouvoir être millionnaire, sauf les producteurs de contenus, qui, s'ils sont contournables, seront... contournés !

Un écosystème où surgissent désormais d'autres géants aux tentations hégémoniques : Microsoft, Google, Apple, Facebook, les opérateurs de téléphonie, eux-mêmes bousculés, confrontés à la banalisation de leurs produits (logiciels, transport de voix...) et contraints d'innover.

France Télécom, dix fois plus gros que TF1, s'est mis à la télévision et au cinéma. Nokia, numéro un mondial des mobiles, développe des services autour des contenus. Google est devenu un fabricant de téléphones. Microsoft, Amazon, Apple, Yahoo !, Disney... Chacun va dans les territoires de l'autre ! Les frontières se brouillent.

Mais tous ont des ressources informatiques colossales (autant de barrières incontournables), des montagnes de cash (autant de capacités de croissance externe), sans compter une puissance de feu intellectuelle rare (embauche de milliers de PhD par an). Tous ont peu de passé, et sont donc plus libres.

C'est quand même rageant, non ? Le raz de marée numérique change toute la société et l'économie. L'appétit d'informations et de compréhension n'a jamais été aussi grand, accéder à l'info n'a jamais été aussi facile ; les supports se multiplient, se personnalisent, se transportent ; les connaissances se propagent, Internet se déploie, des barrières se lèvent, d'autres mondes – virtuels – se créent. En ce début de

La révolution de l'information

XXIe siècle, un nouvel âge d'or se dessine, celui de l'information !...
Hélas ! Les médias traditionnels, ces vieux passeurs de nouvelles,
ceux-là même qui devraient en profiter le plus, n'arrivent toujours
pas, plus de quinze ans après l'arrivée du Web dans la presse, à trouver le modèle d'affaires adapté au tout numérique, ni même à capter
l'attention des jeunes en ligne.

Hyperconnectés, ceux-ci refusent qu'on leur dise à quoi s'intéresser. Les jeunes veulent êtres les arbitres de leurs propres vérités. De
plus en plus nombrilistes, ils préfèrent passer leur temps dans leur
propre « système solaire », celui de leurs relations et amis qui tour-
noient dans Facebook.

L'audience des moins de 30 ans ne suit pas, en ligne, les grands
noms de la presse traditionnelle, et leur préfère de nouveaux médias.
« *Kids do not trust us !* » (« les gosses n'ont pas confiance en nous »).
Et quand ils nous font confiance... pas question de payer ! Comme
en 1968, la révolution vient des jeunes !

Le modèle d'affaires historique est cassé. Ses deux moteurs principaux – diffusion et publicité – sont en panne. La gratuité domine.
Les annonceurs, qui ont bien compris la course à l'attention, sau-
poudrent leur argent sur des supports qui n'ont plus rien à voir avec
ceux de la presse. Le monopole technologique sur les moyens de
communication est terminé.

Tous les médias ont fait la transition vers Internet, mais très rares
sont ceux qui parviennent à compenser sur le Web l'effondrement de
leur diffusion ou de leur audience classiques. Et il est probable que
tous n'y arriveront pas. Habituée au statut de média de masse, la
presse ne s'y retrouve pas, dans des marchés de niche.

La migration de la publicité se fait avec un déchet de... 80 % !
Pour l'annonceur, le lecteur d'imprimé vaut toujours bien plus cher
que le lecteur d'écran ! Pour chaque euro de pub média qui migre
vers le Web, la presse ne récupère qu'environ 20 centimes.

Le principal défi des responsables de médias est de réinventer leur
métier et leur modèle d'affaires, alors même qu'ils font des coupes
dans leurs ressources et qu'ils réduisent leurs moyens de couverture.
Moins de journalistes pour faire plus, voilà bien la tendance majeure

71

dans les salles de rédaction, où le *processing* d'infos a pris le pas sur le reportage, mais où, aussi, l'ère de journalistes vraiment multi-média est finalement arrivée.

b) *Convergence et média global*

Internet est bien devenu le média global du XXIᵉ siècle. Aujourd'hui, les concurrents du journal *Le Monde* sont bien sûr *Le Figaro* ou *Libération*, mais aussi France Inter, TF1, BFM TV, Google Actualités, etc. Les concurrents d'*USA Today* sont MSNBC.com, CNN. com, Google News, Facebook, Twitter et les publications de Murdoch (*Wall Street Journal*, Fox News…).

Les quotidiens ne peuvent plus se contenter de donner les nouvelles de la veille : leurs sites, tous désormais multimédias, sont devenus des agences de presse et des télévisions en continu (retransmission en direct). Leur version imprimée est beaucoup plus riche d'analyses et de commentaires, pré carré jusqu'ici des hebdomadaires et des magazines d'information. Ces derniers, moins pertinents, sortent des éditions spéciales le lendemain d'événements importants (élection, décès d'une personnalité…) comme le font… les quotidiens. Les journalistes de télévision ou de radio doivent se mettre à… écrire pour leurs sites Web. Là encore chacun va sur les plates-bandes des autres.

Le Web permet d'héberger tous les formats qui étaient jusqu'ici cloisonnés.

En ligne, le magazine économique américain *Forbes*, très créatif, s'est transformé en une marque reconnue de l'information « 24/7 ». Une démarche pas forcément familière pour une rédaction de périodique. L'hebdomadaire *Newsweek* couvre des événements en direct vidéo, tout comme les quotidiens *New York Times* ou *Washington Post* sur leurs sites !

En ligne, tous les journaux font de la télé ! Les grands journaux américains se sont mis à retransmettre en direct sur leurs sites Web les grands événements filmés par leurs équipes vidéo. Le *Washington Post* et le *Guardian* ont des studios de télévision ! Le *New York*

72

Times dispose déjà de quinze journalistes vidéo. *Newsweek* couvre la visite du pape aux USA en vidéo live sur le Web ! Certains proposent des « JT » plusieurs fois par jour (*Wall Street Journal*).

Le succès de l'iPad et des futures tablettes contraint aussi les éditeurs de journaux et de magazines à s'aventurer dans des domaines de narration numérique (vidéo, graphiques, Flash...) dont ils n'avaient jusqu'ici guère l'habitude. Les télévisions de leur côté se mettent à la 3D, après leur passage en HD.

Le *live streaming* : CBS diffuse les grands tournois de golf en live vidéo sur son site avec de nombreuses autres fonctionnalités. Le magazine de mode *GQ* diffuse en direct les défilés de mode. Le site du magazine américain *Sport Illustrated* propose des vidéos en direct avec présentateur. Et le *New York Times*, après avoir offert de la vidéo en direct, se met à diffuser de la musique live en streaming.

Et quelle différence y a-t-il sur l'iPad entre les applications du *Wall Street Journal* (un journal), de *Wired* (un magazine) ou de la BBC (une radio TV) ? Pratiquement plus aucune.

La convergence touche aussi les appareils de collecte d'informations quand on voit que des réactions de télévision s'équipent aussi, pour des reportages, d'appareils photo capables de prendre des vidéos HD d'excellente qualité.

Même si, à ce jour, aucun grand groupe de médias américains n'est parvenu pour l'instant à rapprocher ses rédactions venant de médias différents (ni Hearst, ni MSNBC, ni Time Warner), un groupe de presse de l'Utah, aux USA, Deseret News, vient de décider de combiner, dans une rédaction hybride, toutes ses opérations en fusionnant son journal *Deseret Morning News*, sa télévision KSL TV et sa radio KSL Radio (avec au passage une réduction du personnel de 43 %).

Déjà, des prix d'excellence du journalisme aux États-Unis ont choisi de renoncer aux catégories par support et plate-forme (presse écrite, magazine, TV, etc.) pour ne retenir que des rubriques (gastronomie, automobile, etc.).

La dispersion (dire aujourd'hui « fragmentation ») des choix, des usages, des supports a fragilisé les dinosaures de la presse, aujourd'hui contraints à l'impossible – « faire plus, avec moins » : plus de contenus (articles, photos, vidéos, minijournaux TV, diaporamas sonores, graphiques animés, blogs, podcasts, *widgets*...), plus souvent qu'avant (« 24/7 » sur le Web, pour un hebdo, ce n'est pas si facile !), avec moins de lecteurs, d'auditeurs, de téléspectateurs, d'annonceurs, et, rapidement, de journalistes.

Les médias, sous pression, toujours en douloureuse transition, ont enfin fait le deuil de la simple transposition sur le Web de leurs activités traditionnelles et n'entendent pas plomber leurs nouvelles aventures avec les boulets du passé.

Ce n'est pas Internet qui tue les journaux, mais leurs contenus dépassés, qui ne sont plus en phase avec le monde actuel.

On l'a vu, l'appétit pour les news n'a jamais été aussi grand, le nombre de canaux de distribution, donc de moyens de toucher le public, aussi nombreux (via les portails, sites Web des journaux, moteurs de recherche, flux de syndication et des millions de blogs). Pourtant, le public entend désormais consommer où il veut, quand il veut et souvent... gratuitement. L'avantage compétitif majeur des journaux – guichets uniques des informations du monde – a disparu.

Les dirigeants de médias traditionnels ont-ils la volonté culturelle, la vision nécessaire et les ressources pour construire ce pont vers le numérique, prendre des parts de marché par gros temps et réussir le changement ? Quel est le meilleur média pour traiter mon sujet ? Comment faire accepter de changer la manière de travailler et de faire sauter les codes ?

c) Photo : les prix s'effondrent, le métier est en crise de revenus et de débouchés

Le journalisme visuel, faisant la part belle à la photo, est en plein essor, grâce au Web. Les photojournalistes travaillent désormais à 360 degrés, pour tous les supports : presse, Web, expositions, etc.

Mais la crise d'identité provoquée par la révolution numérique, c'est-à-dire les nouveaux modes de création, de production et de diffusion d'images, n'épargne pas la photo. En ligne, dans un contexte de surabondance de l'offre et de fournisseurs d'images à bon marché, les prix des clichés s'effondrent.

Les grandes agences de photojournalisme sont en crise en France, comme aux États-Unis, où elles n'hésitent pas à utiliser et à revendre les photos des amateurs. Aux USA, Corbis a supprimé plus de 15 % de son personnel en quelques années et Getty Images s'est mis aux photos d'amateurs et au Web.

Car c'est bien sûr l'arrivée d'un flot gigantesque de clichés numériques pris par les amateurs qui a complètement déstabilisé depuis bientôt dix ans le métier. Imaginez ! Plus de quatre milliards de photos ont déjà été postées sur le site de partage gratuit Flickr. Et toutes, loin s'en faut, ne sont pas dénuées de qualités ! Beaucoup de « bruit », mais beaucoup de clichés sidérants ! C'est vrai également dans l'équipement photographique : la chute des prix des équipements de qualité, des coûts de distribution via Internet et l'utilisation de Photoshop ont aussi démocratisé la photo.

Les prix et donc les revenus des photographes baissent, les journaux et les magazines sont en crise et réduisent leur pagination. Les réductions d'effectifs dans les grands journaux touchent toutefois moins les départements de la photo que ceux du texte.

Les photographes de presse sont plus ouverts aux technologies que leurs collègues du texte. En quelques années, nombre d'entre eux sont passés à la vidéo, qui devient une source croissante de clichés (dans les rédactions de journaux et d'agences de presse). Ils recourent aussi au « grab » d'images fixes sur vidéo (arrêt sur image) qui se développe. Les grands fabricants (Nikon, Canon) l'ont compris avec de nouvelles offres mixtes et performantes.

Pour eux aussi, les lignes se brouillent entre les métiers : « Les photographes sont directement en concurrence avec leurs confrères du son et de la vidéo [...]. Il faut une nouvelle orchestration éditoriale [...]. Nous sommes aujourd'hui dans la photographie conversationnelle », estimait, fin 2010, Wilfrid Estève, journaliste de l'image, ex-photojournaliste.

Mais le secteur fait le grand écart entre une offre abondante standard et la grande qualité. La vente à la pièce est difficile, sauf pour du *breaking news* et du très haut de gamme.

Attention au problème de l'attention et à l'organisation d'une surabondance de l'offre : plus personne n'a le temps de trier dans des milliers de clichés.

Attention au prix, voire à la gratuité : de petits acteurs, des « boutiques », voire des amateurs (« UGC ») sont pris de plus en plus au sérieux par les médias traditionnels, dont les budgets diminuent.

Gros appétit persistant, des anciens comme des nouveaux médias, pour le « people » et le sport. L'économie et la high-tech restent mal couverts.

d) La radio bien placée

La radio apparaît mieux placée que les autres médias dans le nouveau paysage numérique d'abondance, en raison de deux avantages majeurs : la consommation en mobilité et la possibilité de multiactivité.

L'Internet mobile, qui est devenu une réalité en 2008, est l'avenir de la radio ! Les nouvelles générations de téléphones mobiles bouleversent l'univers de la radio (iPhone et smartphones). Il est désormais possible d'y entendre les radios de son choix, y compris les radios de news et les podcasts de qualité. Ces smartphones se branchent aussi dans la voiture.

À noter les applications de *live streaming* gratuites : Pandora (radio personnalisée à la carte) est l'une des applications les plus téléchargées sur le nouvel iPhone d'Apple.

La radio résiste mieux que la télévision dans le nouveau paysage numérique et Internet. Grâce à sa simplicité, son utilité, son ubiquité.

Elle demeure un moteur majeur de recommandations pour la musique. Elle assure un vrai direct (le live) et procure la chaleur de la voix humaine. Elle permet une relation personnelle avec l'audience : elle a l'habitude des communautés et de l'interaction avec le public. Enfin, elle recourt à l'imagination : les images que la radio crée sont plus fortes que la plupart de celles véhiculées par la télévision ou les vidéos.

La radio est surtout bien présente dans la « journée média » : à la maison et en mobilité. Dans la course à l'attention, elle est donc en bonne position, pour les « nomades numériques ». Elle dispose d'un fort potentiel avec les mobiles, qui lui permettront de réussir dans le paysage « new media ».

e) Télévision : prochaine cible de la « disruption » et fusion des écrans

Après la musique et la presse, c'est au tour de l'industrie de la télévision de connaître, avec l'arrivée en 2010 de la TV connectée au Web, des bouleversements majeurs. Ici aussi, le *pull* va remplacer le *push*, une logique de demande prendra la place de celle décidée par des chaînes.

Les fans de télévision connaîtront le nirvana : des contenus illimités 24 heures sur 24 sur tous les écrans en leur possession ! Mais l'arrivée de cette nouvelle offre multiple va venir concurrencer directement les chaînes de télévision traditionnelles. L'offre de VOD (*video on demand*) va exploser : une cinquantaine de services existent aujourd'hui et vont déferler sur nos écrans TV via Internet. Énorme succès attendu. Plus de concurrence, plus de choix, et donc moins de temps dédié pour les chaînes classiques. De nouveaux services à péage vont aussi venir concurrencer les offres déjà existantes, mais aussi de nouveaux contenus gratuits (à l'instar d'un Hulu, adapté au marché européen).

Le journalisme de télévision change aussi. Les équipes sont plus légères, plus flexibles. Les équipements aussi : un récent prix de reportage TV de guerre a été remis en France à Bayeux à un journaliste de la chaîne américaine publique PBS, pour un reportage sur le conflit en Afghanistan tourné avec... un appareil photo ! L'interactivité avec l'audience sera là aussi à intégrer dans le reportage audiovisuel.

Il faut s'attendre aussi, prévoit l'institut de recherche Idate, à ce que l'interaction avec le poste de TV change. Les boîtiers actuels de télécommande sont dépassés ou trop compliqués. Nous allons assister à une modernisation de l'interface entre le téléspectateur et son poste. Et probablement passer d'une offre organisée par les chaînes à une recherche en fonction de nos goûts.

La manière de faire de la publicité va aussi changer : elle sera aussi, comme sur Internet, contextualisée en temps réel, « cliquable » en fonction des goûts, du *search*, des contenus distribués.

Les professionnels de la télévision réalisent que la publicité ne paiera plus toutes les factures, et qu'il risque d'être suicidaire de ne dépendre que d'une source de revenus. Dix ans après les journaux, les télévisions voient décliner aujourd'hui inexorablement leur cœur de métier. Avec la délinéarisation des programmes, la notion de chaîne télévisée disparaît. Des acteurs mondiaux risquent là aussi de dominer : Google, Apple.

Aux États-Unis, l'audience du prime time a déjà chuté de plus de 50 % en dix ans, et près d'un Américain sur deux regarde désormais la télévision en différé et à la demande.

f) Vers une ère postpublicitaire

Il y a dix ans, le mot d'ordre dans les médias traditionnels était : « Les portails et la pub vont tout financer ! » Aujourd'hui, c'est : « Les réseaux sociaux et la pub vont tout financer ! » Mais la pub n'est toujours pas là en quantité suffisante pour faire vivre des rédactions ! Et pour un annonceur il est plus pertinent d'acheter des mots-clés chez Google que du prime time !

Comment ce modèle va-t-il évoluer ?

Aux États-Unis, pour la presse quotidienne, la publicité assure 80 % des revenus des journaux, mais 2009 fut la pire année depuis près de cinquante ans, avec des chiffres dantesques : le manque à gagner se monte à dix milliards de dollars par rapport à l'année 2008, déjà désastreuse. En 2009, sur le papier, la publicité a encore chuté de 28 %, sur le Web, de 12 %, et les petites annonces, dont plus des deux tiers ont disparu depuis 2000, se sont de nouveau évaporées, au rythme de près de 40 % en 2009.

En 2009, la publicité dans les journaux américains a encore reculé de 26 %, soit un effondrement de 43 % en trois ans. Dans les magazines, elle s'est contractée de 17 %. La pub dans les télévisions locales a chuté de 22 %, le triple de 2008, et dans la radio, de 22 % également. Dans les grands *networks*, la baisse a été de 8 %.

Et à l'évidence la publicité en ligne ne parviendra jamais à financer la collecte et la distribution d'informations, à l'image ce qui s'est passé au XX\ siècle. En termes de revenus, peu de journaux ont passé la barre des 10 % pour les activités en ligne. Certains, comme *Le Figaro*, parviennent à 20 %.

Une banque d'affaires américaine, spécialisée dans les médias, estime ainsi qu'en 2013 ils auront perdu près de la moitié de leurs revenus publicitaires par rapport à 2006.

Le paradoxe, c'est que jamais les journaux n'ont eu autant de lecteurs, grâce au Web. Les audiences (diffusion + lectorat + visiteurs…) sont à des niveaux records. Certains titres ont des audiences en ligne deux ou trois fois plus importantes que sur papier. Le marché publicitaire ne suit pas la hausse des audiences. Or, le gâteau publicitaire est en train d'être redistribué rapidement et massivement. La publicité en ligne progresse rapidement, sans forcément passer par les vieux médias.

Découplage historique

Ces dernières années, c'est bien le découplage consommé entre presse et publicité qui est au centre du cyclone, confirmant que le modèle économique est cassé. En résumé, la publicité ne suit pas le consommateur en ligne et le monde de la publicité a du mal à suivre les changements en cours dans les médias. L'idée de financer des sites d'information par de la publicité est donc déjà de l'histoire ancienne.

L'audiovisuel perd aussi de la pub aujourd'hui. La pub quitte le média TV pour aller chez un acteur : Google ! La pub à la télévision est moins efficace et plus chère que sur le Web. La pub hors média, tout comme les liens sponsorisés, est en plein boom !

L'accord historique sur lequel reposait une grande partie du financement des médias de masse – mise à disposition des informations pour le public qui accepte d'être soumis aux publicités – est donc caduc, représentant de fait l'une des nouvelles victimes de la révolution de l'information.

Ces dernières années témoignent de l'explosion de la publicité en ligne. Mais elle est restée insuffisante pour combler le recul – aggravé par la crise – de la publicité traditionnelle dans les médias et pour faire vivre leurs rédactions. L'espoir pour la presse, dans un monde dominé par le tout gratuit, était de « tenir » jusqu'à ce que ces revenus publicitaires atteignent une taille critique sur le Web et sur les mobiles.

Non seulement elle risque de ne jamais l'atteindre, mais il est de plus en plus probable que les revenus de la publicité traditionnelle ne reviendront jamais à leur niveau du milieu des années 2000.

Aux yeux de l'annonceur, l'internaute vaut, pour l'instant, toujours beaucoup moins cher que le lecteur. Et sur Internet, Google se sert fortement au passage, transformant des euros en centimes pour les éditeurs.

L'une des grandes raretés d'aujourd'hui est la réputation. C'est cette réputation, cette crédibilité, que les annonceurs veulent aussi acheter. D'où des craintes de plus en plus grandes dans les rédactions sur les fissures dans la « muraille de Chine » séparant éditorial et commercial. Pour certains experts, sur le Web, la frontière entre contenus et publicité va s'estomper et risque d'être encore plus difficile à défendre qu'avant : certains annonceurs veulent coproduire sur le Web des contenus avec les médias.

Le recul des médias traditionnels les rend moins attractifs pour les annonceurs, qui ont par ailleurs une possibilité croissante de converser directement avec leurs clients sans passer par les pages glacées des magazines, sans les déranger par des spots intempestifs sur les chaînes de télévision.

Cette publicité en ligne s'éparpille sur les multiples possibilités offertes par l'Internet (d'où la chute des prix) et ne va pas nécessairement vers les sites des médias traditionnels, mais plutôt vers les sites plus innovants des nouveaux médias, des réseaux communautaires, où les cibles sont plus fines, voire faites sur mesure pour les annonceurs. Croire que la publicité en ligne, certes en forte croissance, va compenser la perte sur le papier est naïf, alors que chaque jour naissent des centaines de sites qui espèrent vivre de cette publicité. Jamais les grands médias ne retrouveront leur part de marché publicitaire.

Dans le monde physique, certains grands magazines américains jouent parfois sur une baisse de leur diffusion pour privilégier une diffusion ciblée pour l'annonceur à la recherche de qualité plutôt que de quantité.

« Notre métier n'est pas de maintenir les médias en vie, mais d'être en contact avec nos consommateurs », a brutalement fait savoir l'équipementier sportif Nike, l'un des plus gros annonceurs qui, d'une manière générale, réduisent leurs investissements dans des campagnes médias pour s'adresser directement aux consommateurs. On l'a vu, les marques deviennent elles-mêmes des médias.

D'autant qu'en ligne une très large part des revenus publicitaires est captée par les géants technologiques : Google en tête, mais aussi Yahoo ! ou même Microsoft, voire Orange.

Dans la publicité, des signes de stabilisation, voire d'amélioration, apparaissaient çà et là en 2010, mais chacun assure qu'elle ne retrouvera pas son niveau d'avant la crise, surtout pour les journaux, qui tous, en France, auront perdu de l'argent en 2009 et en 2010.

En ligne, où surgit d'ailleurs aussi le publicitaire citoyen, la publicité continue de progresser : pour la première fois, elle aurait dépassé en Grande-Bretagne la télévision pour devenir le premier support médiatique. Mais la monétisation des audiences y reste problématique. Les professionnels en sont convaincus : les bannières et les CPM en ligne ne sauveront pas les médias traditionnels. La publicité ne va plus sur l'information, mais sur l'*entertainment* (les loisirs). Est-ce le métier d'Adidas de financer une rédaction à Kaboul ?

Retrouver un équilibre prendra entre cinq et dix ans, estiment les patrons de presse et les experts interrogés récemment par le *New*

York Times. « Tous ne survivront pas. Ceux qui y parviendront offriront un journalisme moins ambitieux. »

La crise des journaux gratuits

En 2006, *Metro* est entré dans *Le Livre Guinness des records*, comme quotidien le plus diffusé au monde (70 éditions, 93 grandes villes, 21 pays, 19 langues). En Espagne, la presse gratuite a représenté jusqu'à 40 % de la diffusion. C'était avant la crise économique.

Depuis, la crise de la publicité est venue porter un coup parfois fatal aux gratuits. Leur diffusion a chuté de 19 % en 2009. Et le papier fait de moins en moins recette dans les transports en commun.

La fin des petites annonces

Enfin, les petites annonces, élément essentiel pendant des dizaines d'années du financement de la presse écrite, notamment régionale, se sont tout bonnement évaporées ces dernières années, face à l'efficacité et surtout la gratuité des sites Web, de type Craigslist aux États-Unis, qualifié de « tueur de journaux ».

Tous les journaux américains, habitués à une situation de monopole sur les petites annonces, subissent les immenses dégâts occasionnés par ce site sur leurs revenus publicitaires tirés des petites annonces[1]. Ceux-ci se sont tout simplement effondrés, surtout pour les journaux locaux pour qui ils représentaient 40 % de leurs revenus publicitaires et souvent près de 70 % de leurs profits.

Craigslist, premier site de petites annonces gratuites aux États-Unis, a lancé en 2008 des versions en français, espagnol, allemand, italien et portugais. La destruction de valeur associée est estimée à

---

1. Voir http://publishing2.com/2007/03/24/reinventing-the-news-business-requires-a-little-imagination.

plusieurs centaines de millions de dollars, voire plusieurs milliards de dollars dans le monde.

Mais pratiquement plus aucun jeune – et moins jeune – ne regarde aux États-Unis des petites lignes serrées sur une page de journal pour louer un appartement, acheter une voiture d'occasion ou trouver un emploi[1].

L'industrie de la publicité a du mal à suivre

Difficile, donc, de produire de l'information de qualité quand les annonceurs veulent payer au clic et que les lecteurs ne veulent pas payer du tout.

D'autant que le monde de la publicité a du mal à suivre les changements en cours dans les médias. Les marques et les annonceurs sont de plus en plus perplexes, en raison de la multiplication et complexité des points de contact avec les consommateurs. Elles ont aussi pris goût à la conversation directe avec les consommateurs.

Il faut enfin compter aussi avec la lassitude du public pour la publicité, qui se traduit par le succès que rencontrent la télévision à la demande, la fin du prime time, la télévision de rattrapage, les podcasts, le *pay-per-view*, etc. À l'avenir, le message marketing ne sera plus forcément imposé au public, mais circulera au travers des millions de connexions cultivées en fonction de leurs centres d'intérêt.

g) Web : l'information peut-elle (re)devenir payante ?

Le récent et très brutal assèchement des revenus publicitaires a alimenté un vif débat, depuis un an, en Europe et aux États-Unis, sur l'opportunité de faire (re)payer les contenus d'informations en ligne.

Peut-on, aujourd'hui, revenir sur quinze années de gratuité des

---

1. Voir http://www.pbs.org/wgbh/pages/frontline/newswar/tags/classifieds.html.

contenus d'informations générales sur Internet qui permet si aisément l'accès aux connaissances, le partage des découvertes, la collaboration et l'*open source*?

Nous approchons donc du moment de vérité pour savoir si le retour du payant sur le Web est possible. Des deux côtés les positions sont tranchées : « Sans paiement, des médias mourront. » Et il est très possible de faire payer : regardez Canal+ qui a fait payer la télévision ou, plus simplement, l'eau minérale en bouteille ! En face, la réponse est cinglante : « Sur le Web, si vous faites payer, vous accélérez votre disparition ! »

Il est très difficile de faire revenir en arrière le public, désormais plus habitué à accorder de la valeur à des supports physiques qu'immatériels. Très difficile aussi d'aller contre le courant des nouvelles pratiques et usages de la révolution numérique (facilité d'accès, partage, collaboration, *open source*, interactions fréquentes...). Très difficile, enfin, de se battre contre la gratuité des concurrents, financés par la publicité (CNN) ou l'État (BBC).

De deux choses l'une : ou tout le monde le fait en même temps, ou celui qui pose des barbelés doit proposer des contenus à très forte valeur ajoutée qui ne sont pas gratuits ailleurs, des contenus « frais », exclusifs (même pour quelques heures).

Oui, la valeur est dans les barrières, mais pas dans des murs érigés contre son audience : le public n'est pas prêt à payer pour des contenus qu'il ne regardait même pas quand ils étaient gratuits. Elle est dans des barrières dressées à l'entrée de ses concurrents, dans des nouveaux contenus qui répondent aux nouvelles attentes, dans des services qui les intègrent, les agrègent, les enrichissent, les analysent, les distribuent autrement.

Mais même l'ajout de contenus premium payants ne sera pas suffisant. Il faudra davantage.

Davantage, ce seront des sources de revenus en dehors du cœur de métier, mais surtout des nouvelles valeurs ajoutées, des services uniques que le public sera prêt à payer. Des services liés aux nouvelles technologies, à la mobilité, à l'accès, à de nouvelles manières de montrer l'information.

Davantage, ce seront des contributions directes de l'audience au média, une contribution de fondations, des citoyens, parfois même de l'État par des subventions, comme n'hésitent plus à le dire des responsables aux États-Unis, voire à le mettre en pratique, comme au New Hampshire, pour défendre l'information, bien public consubstantiel à la démocratie.

L'information accessible en mobilité (smartphones, e-book) est à cet égard un des grands espoirs des éditeurs car le paiement y est plus naturel, si ce n'est indolore.

Tout gratuit, premium payant, micropaiements, abonnements, exceptions aux lois de la concurrence, fondations, dons, clubs, magasin à la iTunes... autant de questions et de pistes qui agitent, aux États-Unis, en Grande-Bretagne et en France, les grands acteurs de la presse de qualité, confrontés à l'effondrement de leurs modèles d'affaires.

Car, consciente désormais – crise économique oblige – que les ressources et le temps vont probablement lui manquer pour réussir son tournant numérique[1], la presse, un peu plus confiante dans la qualité et la valorisation de ses contenus, ne voit plus le salut que dans le « payant ».

« Suicidaire ! Pure folie ! Chimère ! *Non sense !* », rétorquent les *digital natives.* Empiriquement, les tentatives, en général vieilles de dix à quinze ans, de faire payer des contenus généralistes sur le Web ont échoué. L'*Atlanta Journal-Constitution*, le *Los Angeles Times*, *Newsday*, le *Chicago Tribune* et le *San Jose Mercury News* ont essayé. Mais cela réduisait trop fortement les audiences et les revenus publicitaires. Seuls les médias spécialisés et de niche, comme le *Wall Street Journal* (100 millions de dollars de revenus en ligne) ou *Les Échos*, sont jusqu'ici parvenus à monétiser leurs contenus en ligne, souvent payés, in fine, par... l'employeur. Prouvant quand même au passage que le journalisme de qualité est un « business » rentable, le *Financial Times* (encore un journal économique !) a aussi innové

---

1. Voir http://mediawatch.afp.com/?post/2009/03/16/Mutation-%3A-les-medias-din formations-auront-ils-assez-de-temps.

avec un modèle hybride basé sur la fréquence des visites[1]. D'autres sites de news de grande proximité (« *hyperlocal* ») comme l'*Arkansas Democrat-Gazette* de Little Rock font aussi payer. Mais ce sont des exceptions.

L'espoir des médias traditionnels locaux (journaux, TV, etc.) de faire payer les informations de proximité, les contenus hyperlocaux, semble douché par les récentes initiatives des grands portails (AOL, Yahoo!/Patch, MSNBC, Huffington...) d'offrir au contraire gratuitement ce type d'informations collectées en réseau et bon marché.

Pour Vivian Schiller, présidente de la radio publique américaine NPR, et ancienne responsable des activités Web du *New York Times*, seules trois catégories de contenus sont parvenues à se faire rémunérer sur le Web : les données financières, les sports fantaisistes et la pornographie. Les éditeurs qui choisiront de se retrancher derrière des murs, avertit Schiller, non seulement ne parviendront pas à compenser la perte de revenus publicitaires, mais ils verront leurs lecteurs aller vers des sites d'information de moindre qualité.

Il est vrai que les médias visant des audiences de masse n'ont jamais réussi. Et ce, soulignent les contempteurs du payant, pour une raison simple : ils n'avaient jamais fait payer auparavant !

Ni la radio, ni la télévision, ni même les journaux ! En y regardant de plus près, les acheteurs de journaux acceptaient surtout de payer pour l'aspect pratique des quotidiens : livraison à domicile, portabilité, papier... Ces derniers n'ont d'ailleurs dû leur survie qu'en vendant, non leurs contenus, mais leur audience aux annonceurs.

Mais, existe-t-il, comme nous l'espérons, une demande importante pour du journalisme de qualité ? Ou restera-t-elle cantonnée à un petit segment de la population, comme par exemple aux lecteurs de *The Economist* et du *New Yorker* ? Avec, à la clé, des dangers

---

1. Voir http://mediawatch.afp.com/?post/2008/05/17/FT-satisfait-du-modele-payant-base-sur-la-frequence-des-visites.

démocratiques liés à une segmentation de l'accès à l'information (populaire/jeunes *vs.* élites).

Eric Schmidt, le patron de Google, qui vit de la publicité, ne croit pas trop dans ces formules de micropaiements ou d'abonnements sur Internet :

> Ces modèles reposent sur la rareté, ce qu'Internet justement détruit. Le modèle de distribution Internet ne marche pas sur la rareté, mais sur l'ubiquité.

D'autres estiment, plus simplement, que le Web a, comme la nature, horreur du vide, que la place laissée vacante par des journaux, retranchés derrières des murs payants, va être vite occupée par d'autres sources d'informations, et que si le public est prêt à payer pour des services, il ne paiera pas pour des informations qu'on peut trouver ailleurs... gratuitement. Quant au modèle « iTunes », ils rappellent que Steve Jobs n'a jamais fait cela pour la musique mais pour vendre des iPod, et que la musique, contrairement aux news, n'est pas périssable ! Dès qu'une info est connue, elle devient une denrée de base (*commodity*).

L'érection désordonnée de nouveaux murs payants

L'arrivée des tablettes, associée à l'espoir d'une nouvelle monétisation, est intervenue la même année que l'instauration, en ordre dispersé et sans consensus, de barrières payantes sur les contenus d'informations en ligne, annoncée en fanfare il y a juste un an, sans que personne ne puisse dire, à ce jour, si cette stratégie s'avérera... payante !

Il semble qu'on s'achemine, en fait, vers de nouveaux modèles hybrides avec quelques certitudes : la fidélité à une marque est plus faible en ligne, où la gratuité est une habitude bien ancrée, et où seuls les contenus de qualité, rares, utiles et sélectionnés, pourront se vendre.

Mais pour l'instant la prudence est de mise. Chacun surveille ses concurrents de peur qu'ils ne laissent, eux, tout gratuit, comme en ont décidé, en Grande-Bretagne, le *Guardian*, le *Daily Mail* ou le *Sunday Mirror*, en face des murs qu'a mis Rupert Murdoch autour de ses journaux *The Times* et *The Sunday Times*. Il préfère de petites audiences qui paient à de grandes qui ne paient rien. Les murs payants transforment les journaux généralistes en newsletters, estime Clay Shirky, en écho au film d'anticipation *Epic* de Robin Sloan sur l'avenir des médias.

De fait, les premiers chiffres, encore vagues, montrent que le *Times* a perdu plus de 80 % de son audience en ligne.

Aux États-Unis, le *New York Times* devait mettre en place début 2011 un péage au compteur (paiement après quelques visites gratuites, comme le *Financial Times*). En embuscade, le *Washington Post* reste en mode « *wait and see* ».

Même si chacun sait que la publicité média ne reviendra pas à ses niveaux antérieurs, qu'elle ne financera plus une rédaction à Peshawar, rares sont ceux désireux de se couper d'audiences souvent en forte augmentation.

Chacun sent bien aussi que ce type d'initiative se fait à contre-courant d'évolutions sociétales actuelles fortes : ouverture, partage, collaboration, coproduction, etc.

Une logique « freemium » semble donc l'emporter aujourd'hui, associant des contenus gratuits (le plus souvent des informations généralistes partout disponibles) à des contenus uniques de niche, et des services de qualité, à valeur ajoutée, payants. Comme l'information en mobilité (smartphones, tablettes), au risque d'accélérer le déclin du papier. Et, au lieu de faire payer tout le monde un petit peu (longue traîne), l'idée est d'essayer d'obtenir un peu plus de quelques-uns. Tout un équilibre savant à trouver.

Surtout que l'enjeu n'est pas seulement de faire consommer des contenus existants, mais surtout de retrouver une nouvelle pertinence, et de réinitier la relation distendue avec le public.

h) « Le journalisme au temps du choléra »

« Journalisme au temps du choléra », « sidérurgie », autant d'images désormais employées pour décrire la situation dans les rédactions des médias traditionnels des pays riches. Le chômage et la précarité y sont grandissants, les tarifs des pigistes s'effondrent.

Dans le même temps, par la faute de cette double crise économique et technologique, les emplois de journalistes disparaissent trois fois plus vite que les autres. Les coupes claires dans les coûts et les effectifs, et les demandes pour produire toujours plus en moins de temps, ont dégradé la qualité du journalisme et banalisé les contenus, les rendant encore moins attrayants pour le public. Les secteurs les plus touchés sont l'international, l'enquête, les contenus originaux et exclusifs.

Quelques chiffres

Aux États-Unis, en un peu plus de quinze ans, entre un quart et un tiers des effectifs des rédactions des quotidiens ont disparu. Il est couramment admis que les capacités éditoriales des rédactions des journaux américains ont fondu de 30 % depuis 2000 et que celles des télévisions *networks* ont perdu la moitié de leurs ressources par rapport à leurs plus belles années de la fin de la décennie 1980.

Selon le Poynter Institute, la destruction de valeur journalistique est estimée à 1,6 milliard de dollars par an.

Les journaux américains dépensent aujourd'hui 29 % de moins qu'en 2006 pour couvrir l'actualité (4,4 milliards de dollars, contre 6,2).

Plus de quinze mille postes supprimés dans les journaux américains sur les dix premiers mois de 2009, après seize mille en 2008. Selon d'autres estimations, quelque trente-six mille emplois ont été perdus entre septembre 2008 et septembre 2009 dans les médias traditionnels américains, plus de trente mille journalistes américains ont perdu leur emploi (24 500 dans les journaux, 8 333 dans les radios et télévisions, 1 200 dans les magazines).

En 1990, la moitié des emplois dans les médias américains se trouvaient dans les quotidiens. Ce taux atteint aujourd'hui moins de 35 %.

Une grande partie des cadres du secteur des médias traditionnels américains estimaient en 2010 que leurs effectifs étaient dorénavant trop réduits pour faire plus que le minimum requis pour couvrir l'information, selon l'institut Pew.

Pis : les réductions d'effectifs commencent à toucher les jeunes journalistes.

En Grande-Bretagne, une étude de l'University of Central Lancashire a estimé, en 2010, la disparition d'emplois dans les médias traditionnels entre quinze mille et vingt mille depuis 2001. Les rédactions y ont donc fondu d'un quart à un tiers en dix ans. Selon le syndicat national des journalistes NUJ, 8 800 postes ont été supprimés entre 2008 et 2010. Le Royaume-Uni perd actuellement deux journaux par semaine.

En Espagne, près de trois mille postes de journalistes supprimés en un an. Chute de 30 % des recettes publicitaires des journaux. L'Espagne a supprimé 10 % des postes de journalistes depuis la fin 2008.

La rapidité et l'ampleur des changements inquiètent

Les rédactions, dépossédées de leur magistère, confrontées à des injonctions paradoxales et aux réactions brutales de leurs audiences changeantes, vivent souvent mal l'essor d'Internet qui, les sortant de leur zone de confort, continue de semer la panique, alimentant chaque jour un peu plus les problèmes culturels, qui freinent les efforts d'adaptation des entreprises.

À tous les niveaux des médias, chacun se bat avec les mêmes questions : comment concilier contenus payants et gratuits ? Comment améliorer les liens entre les services techniques et la rédaction, entre le print et le Web ? Quelles stratégies choisir pour les mobiles et les e-book ? Comment engager davantage l'audience en ligne et créer des contenus pertinents ? ⌐

C'est « le sauve-qui-peut », dit le directeur d'un grand journal parisien. Personne, ou presque, ne veut plus prendre de responsabilités.

Nombreuses sont les interrogations sur la manière dont vont évoluer les métiers du journalisme, qui demeure un mode de représentation du réel (comme la photographie, le cinéma, la littérature, la peinture, la sculpture, voire la philosophie ou la psychanalyse). C'est la rapidité et l'ampleur des changements qui ont touché le secteur dans un laps de temps très court, plus que leur nature, qui inquiètent.

Une chose est sûre, et cela vaut pour tous les médias traditionnels : les journalistes ne sont pas satisfaits de la manière dont leurs responsables éditoriaux et leurs directions gèrent le virage numérique, qu'ils savent indispensable. Ils n'ont guère confiance en eux. Difficile de leur donner tort quand on entend certains se demander s'ils ont finalement eu raison d'aller sur le Web. D'autant que les responsables ont beaucoup de mal à reconnaître qu'ils ne savent pas où ils vont. Les syndicats professionnels ne sont guère plus rassurants. Dépassés par les nouveaux usages, en déni face à la mutinerie de l'audience, et arc-boutés sur des traditions de caste du siècle dernier pour gagner du temps, ils nous défendent bien souvent contre notre futur. Mais il est vrai qu'ils doivent faire face, par ailleurs, à une paupérisation de la situation des journalistes pigistes, des *stringers*, des free-lances, souvent forcés de faire de l'« infomercial », et à la multiplication des CDD.

À noter aussi que la presse écrite est également touchée par un nouveau phénomène de délocalisations de journalistes : de plus en plus de médias, notamment dans la presse économique, utilisent des rédactions offshore, en Inde ou à Singapour, pour produire notamment des résultats de sociétés.

Fin des correspondants à l'étranger, recul de la couverture internationale

Depuis le milieu des années 2000, les grands médias américains, pour faire des économies – les expatriés coûtent plus cher –, ont réduit massivement leur réseau de correspondants à l'étranger. Certains, comme le *Boston Globe*, le *Baltimore Sun*, *Newsday*, *US News & World Report*, troisième news magazine américain, n'en ont plus du tout. « Couvrir Britney Spears coûte moins cher », se désole la présidente de la radio publique américaine NPR.

Globalement, dans les journaux américains, ils ont été réduits d'un tiers.

Même chose pour les grandes chaînes de télévision américaines, qui avaient, chacune, une quinzaine de bureaux étrangers dans les années 1980.

Entre le milieu des années 1980 et les années 2000, les informations internationales dans les médias américains ont baissé de 70 à 80 %, selon le critique des médias David Shaw.

Au Royaume-Uni, une enquête de novembre 2010 de Media Standards Trust, a montré que la couverture internationale des quatre grands quotidiens britanniques avait fondu de près de 40 % au cours des trente dernières années, pour ne représenter que 10 % des contenus, contre 20 % en 1979. Pis : elle s'est même effondrée de 80 % dans les dix premières pages de ces journaux.

La fin du journaliste parachuté ?

Certains rédacteurs en chef, notamment à la BBC, mais aussi chez Global Voices, mettent de plus en plus en doute la pertinence de l'envoyé spécial (totalement ignorant du pays de destination et soumis aux demandes exotiques d'une rédaction éloignée) et souhaitent privilégier le pigiste local qui a le savoir et l'expertise de son pays.

Ce travail est maintenant essentiellement du ressort des grandes agences de presse internationales, où il est réalisé dans le cadre de nouvelles formes de coopération (entre médias), de pigistes locaux, etc. Certains, comme le *Los Angeles Times*, réalisent ce travail avec deux éditeurs aux sièges qui traitent, sans être sur le terrain, des flux d'informations RSS venant par exemple d'Asie.

Mais était-ce le métier d'un journal local de couvrir l'Irak ou l'Afghanistan ?

Après les bureaux à l'étranger, les éditeurs

Après la réduction, voire la suppression des bureaux à l'étranger, une nouvelle catégorie de journalistes est menacée : les éditeurs.

Le *Washington Post* a ainsi décidé de donner la priorité au reportage sur la relecture et l'édition des papiers, qui seront réalisés en réseau et non plus en flux. « Plus il y a de personnes qui touchent à un papier et moins elles se sentent responsables », explique le directeur de l'information Phil Bennett dans une note interne.

> Les reporters qui ne sont pas capables d'écrire correctement sont une espèce en voie de disparition [...]. Couper dans les jobs de reporters serait suicidaire.

L'agence américaine Associated Press (AP) a aussi été amenée en 2007 à raccourcir les circuits de relecture et d'édition de ses dépêches.

En 2009, les journalistes, qui avaient tendance à être de plus en plus déconnectés du public, « se prennent désormais leur audience dans la figure » et ont, en tout cas, commencé à réaliser l'importance d'interagir avec elle.

Les médias sociaux font partie du quotidien des rédactions et effraient moins. Les journalistes savent que là se trouve une bonne partie de leur audience Internet. C'est là aussi que chaque « grosse histoire » est désormais commentée. Mais ils doivent aussi penser mobiles, Twitter, Facebook, coopération avec le public, infographie animée et interactive, visualisation de données (transformer des statistiques en savoir)… Le marketing éditorial n'est pas loin.

Et puis, si tout le monde est devenu un média, le bon usage des outils de production et de diffusion peut devenir une matière obligatoire à l'école ! Ce qu'on appelle en anglais la « *media literacy* » et où les professionnels ont un rôle à jouer.

Les journalistes devront non pas faire moins, mais très certainement faire mieux. Ils vont aussi devoir abandonner un peu leur stylo pour de nouveaux outils. De plus en plus nombreux sont ceux qui se mettent à la vidéo légère. Nombreux aussi sont ceux qui vont travailler pour des fondations, des ONG, ou qui partent créer leur structure éditoriale sous leur propre marque.

Les seuls grands médias qui embauchent aujourd'hui sont les *pure players* du Web : Yahoo !, AOL (autour de trois mille journalistes) et MSN, en premier lieu. TBD, Patch, Huffington Post, aussi. Les créations d'emplois y sont importantes, mais ne compensent pas les suppressions dans les métiers historiques. Les seuls médias traditionnels qui grandissent et accroissent leurs capacités rédactionnelles sont aujourd'hui Bloomberg et *The Economist*, deux organisations qui produisent des contenus à forte valeur ajoutée.

L'exode vers de nouvelles rédactions

Les journalistes américains se disent d'ailleurs en majorité pessimistes quant à leur avenir.

Plus de la moitié d'entre eux estiment que leur organisation n'existera plus dans dix ans.

De nombreux journalistes ont commencé à quitter, de gré ou de force, les rédactions traditionnelles pour rejoindre des unités éditoriales en ligne ou en créer (Politico, Pro Publica, Mediapart, Rue89, Slate, etc.). Comme souvent, ce sont les meilleurs qui partent, ils concurrencent leurs anciens employeurs avec des moyens bien inférieurs (pas d'imprimerie, ni de camions de livraison, pas de bureaucratie, d'administration, de marketing, etc.) et contribuent à fabriquer le journalisme de demain.

Parallèlement, des unités à but non lucratif, spécialisées le plus souvent dans l'investigation, ont fleuri. On en compte déjà au moins une soixantaine aux États-Unis. Beaucoup sont proches ou liées à des universités. Certaines sont financées par des mécènes.

De même, les ONG développent des activités éditoriales et ne sont pas loin de pratiquer un journalisme d'activisme.

L'apparition d'usines à contenus

Un nouveau modèle d'affaires est apparu ces derniers mois sur le marché de l'information : l'industrialisation de la production de contenus avec de véritables usines (ou fermes) low cost produisant chaque jour à la chaîne des milliers d'articles « fast-food » de médiocre qualité (textes, photos, vidéos) en fonction des requêtes les plus populaires des moteurs de recherche. Objectif : accroître le trafic des sites d'information et toucher un peu plus de publicité.

C'est Google qui favorise cette prime à la quantité, ici préférée à la qualité.

Ces articles, souvent des tutoriaux (« *How to...?* »), sont produits soit par des professionnels (souvent des journalistes remerciés par des médias en difficulté) payés des queues de cerises, soit par des amateurs qui ont envie de s'exprimer et d'atteindre une tribune.

Les plus grosses usines sont aujourd'hui américaines avec en tête Demand Media, fondée par un ancien de MySpace, qui diffuse sur des dizaines de sites différents.

À l'aide de logiciels, Demand Media cherche quels sont les sujets qui intéressent à un moment donné les internautes, puis calcule les revenus publicitaires qui peuvent y être associés. Elle donne cette information à son réseau de sept mille pigistes, qui choisissent de produire un article ou une vidéo correspondante, à des prix unitaires descendant jusqu'à 3,50 dollars. En mars 2010, Demand Media a ainsi produit cent cinquante mille articles ! Demand Media estime qu'il remplit une fonction sociale en fournissant au public ce qu'il réclame : des réponses aux tracas de la vie quotidienne, des solutions pour gagner du temps, de l'argent, des guides, etc. Elle rejette les termes d'« atelier » ou d'« usine », et souligne qu'elle emploie des journalistes et rédacteurs en chef professionnels qui ont mis en place des processus sophistiqués de validation des contenus.

AOL exploite une unité similaire, Seed, qui embauche des centaines de journalistes et veut profiter des nouveaux outils de *Web analytics* pour donner immédiatement à sa rédaction l'impact commercial de sa production sur le Web.

Certains estiment qu'en jouant ainsi avec les algorithmes de Google ces nouvelles firmes de médias vont rendre encore plus difficile la recherche du signal dans le bruit.

Après les usines à contenus, le journalisme artificiel !

Les algorithmes de Google News organisent depuis longtemps la présentation et la hiérarchie des nouvelles. Le *Guardian* et sa page Zeitgeist sélectionnent par programmation automatique les articles jugés importants.

Un nouveau pas a été franchi avec le site américain StatSheet, qui propose depuis la fin 2010 des articles de sport rédigés par des robots qui compilent des données et des statistiques. L'agence de presse financière Bloomberg propose aussi des article autogénérés sur les tendances boursières.

Prendre son temps : la librairie et l'édition au secours du journalisme ?

Deux nouveaux magazines en France proposent une manière originale de faire du journalisme : *XXI* (comme le XXIᵉ siècle), et *Usbek & Rica*, lancés récemment, célèbrent justement la lenteur et le temps. Le premier au service du grand reportage, le second pour flairer l'air du temps.

Lenteur de la parution (trimestrielle) et temps pris pour les reportages (plus d'un mois pour certains). Antidote à la course à l'attention du Web ? Autres originalités de ces publications : elles sont vendues en librairie, ne comportent pas de publicités, proposent des reportages sous forme de bandes dessinées. Moins rare : elles sont adossées à des blogs.

Faudra-t-il donc que le journalisme de reportage et d'investigation passe désormais par le secteur de l'édition ? On peut le penser lorsqu'on voit le nombre de livres de journalistes qui, sous couvert d'enquêtes longues sur les Bush, Clinton, Obama, Sarkozy ou Hollande-Royal, préfèrent désormais publier des ouvrages plutôt que de donner leurs informations à leurs médias d'origine.

Chapitre II

Infobésite : une solution, le journalisme

Plus de bruit que de sens.

Sénèque

1. Un besoin urgent de filtres humains face au déluge informationnel : « Context is king ! »

Le premier mythe à combattre dans une économie de l'abondance est celui du contenu roi !

Non ! Aujourd'hui, bien plus encore qu'hier, c'est le contexte, l'éditorialisation, la contextualisation, l'intelligence, la valeur ajoutée, la spécialisation, l'explication, les liens, la réduction de la complexité et de « l'infobésité ». Un vrai travail de médiateur, de média, de journaliste pour relier les connaissances et transformer l'information en savoir.

Le prix de l'information tend vers zéro, mais l'enrichissement et le contexte peuvent encore être payants.

Dans un monde de plus en plus complexe, la valeur est aujourd'hui dans le contexte !

Le contexte, c'est ce qu'il y a autour de l'information, en plus de l'information, et c'est ce qui permet de la comprendre et d'être mieux en prise avec sa signification.

C'est la valeur ajoutée donnée aux contenus. Amazon et Apple (iTunes) ont été les premiers à le comprendre.

99

La valeur est dans les barrières !

Non pas des murs érigés contre son audience, mais dans des barrières dressées contre l'entrée de ses concurrents : intégrer, agréger les contenus, les enrichir, les analyser, les distribuer, les proposer en mobilité, offrir de nouveaux services.

C'est d'abord le contexte éditorial (« *connect the dots* », relier les événements) qui nous permettra de comprendre le sens de sujets de plus en plus complexes, et de résoudre quelques problèmes. Il n'y a pas d'instantanéité dans les informations-clés de nos sociétés, dans les grandes tendances, dans les signaux importants, mais masqués, ou dans les angles morts.

C'est ensuite le contexte technologique, donc l'accès aux informations, qui sera aussi déterminant. Reuters et Bloomberg l'ont compris depuis longtemps en proposant des consoles et des applications logicielles puissantes autour de leurs contenus. Apple en est le champion aujourd'hui. Il faudra chercher à profiter des avantages d'interactivité et de personnalisation des nouveaux médias, et des possibilités du Web sémantique.

N'est-ce pas aussi la pertinence des contenus qui fait défaut aujourd'hui ? Et avec elle la preuve de leur valeur ajoutée ? L'ubiquité des contenus actuels est-elle réellement réclamée par le public ? En d'autres termes, le public ne veut-il pas davantage un meilleur journal que le même contenu sur un lecteur e-book ? Faut-il, pour réussir, tenter absolument de tout faire pour tout le monde ? Même sur le Web, le succès passe par des niches et des verticaux (politique, environnement, sport…).

La valeur est bien dans la rareté, l'accès, le confort d'usage, le tri, le filtrage, la présentation, la personnalisation, le contexte donné à un contenu, qui ne doit plus être un produit, mais un service, voire une expérience. C'est accompagner l'audience dans sa consommation d'informations, avec des réponses à ses questions, dans une relation plus partenariale. Les gens sont aussi prêts à payer avec leur temps et leur savoir. Les réseaux sociaux ne sont pas du contenu, mais des plates-formes de communication, des supports de contenus.

On le comprend, faute de modèle économique pertinent sur le

Web, l'orientation générale, qui se dessine et qui ne fait que commencer, nous amène, à court terme, vers des modèles hybrides, combinant gratuit, publicité, services liés à l'engagement de l'audience autour de la marque, services premium, revenus tiers, contenus payants sur mobiles, contributions directes de l'audience, aides publiques.

Le rôle des médias est de simplifier le monde, d'éduquer, d'informer.

Quelle fonction future pour la presse écrite ? En novembre 2006, un sondage Ipsos MediaCT donna dans l'ordre : comprendre et expliquer, découvrir des choses nouvelles, se cultiver, s'informer.

2. QUE RESTE-T-IL AUX JOURNALISTES ?

Convenons d'abord de quatre missions principales pour les journalistes :
a) collecte des faits ;
b) enquête, investigation ;
c) tri, vérification, hiérarchisation, mise en perspective ;
d) analyse, commentaire.

En les passant en revue, nous allons voir que la première (collecte) et la dernière (analyse) sont désormais des missions largement partagées avec l'audience. La deuxième (enquête) est menacée en raison d'un assèchement progressif et rapide des ressources financières et donc éditoriales. Elle est aussi de plus en plus partagée avec d'autres institutions à but non lucratif, telles les ONG. Reste la troisième (tri, hiérarchisation) qui reste l'apanage et l'atout incopiable des journalistes.

a) La collecte des faits ? Partagée

C'est la pratique aujourd'hui la plus facilement reproduite par d'autres, donc une fonction journalistique essentielle de plus en plus partagée avec l'audience, le public.

Aucune rédaction ne peut plus concurrencer aujourd'hui des millions de téléphones portables, dotés d'appareils photo et de caméras sur le terrain, et demain les capteurs (l'Internet des objets) qui enverront des informations automatiquement.

Le public aime jouer ce rôle de témoin, poste volontiers ses documents en ligne et les partage, via les réseaux sociaux (Twitter, Facebook...). Chacun se souvient de l'avion dans l'Hudson, des attaques de Bombay, de la révolution en Tunisie. Avec des excès inévitables, difficilement vérifiables, comme récemment dans une tuerie sur une base du Texas ou dans les rues de Téhéran en 2009[1].

Pour cette nouvelle fonction, nous préférons parler de témoignage et non de « journalisme citoyen ». Le citoyen va le plus souvent juste partager rapidement une information, un fait, qu'il ne va ni vérifier ni contextualiser.

La collecte, le témoignage devient de plus en plus une fonction banale, une commodité. Cet aspect est donc de moins en moins monétisable.

Les quotidiens ont réalisé que les gens n'achetaient plus des journaux pour avoir les nouvelles de la veille.

b) L'enquête journalistique ? Menacée et partagée

Fonction de chien de garde de la démocratie, la mission d'investigation des journalistes est la plus importante, la plus noble, mais aussi la plus difficile à financer, car la plus onéreuse en temps, en ressources humaines et financières.

Conséquence : tout comme le journalisme international, l'enquête journalistique est frappée durement par la crise des médias traditionnels et les coupes effectuées depuis dix ans dans les effectifs des rédactions, et par les demandes croissantes des éditeurs de faire plus avec moins.

---

1. Voir http://www.techcrunch.com/2009/11/07/nsfw-after-fort-hood-another-example-of-how-citizen-journalists-cant-handle-the-truth.

À tel point que cette mission d'enquête est de plus en plus délocalisée, « outsourcée » et financée aujourd'hui aux États-Unis par des fondations qui apportent leur soutien à de petites structures (le Center for Investigative Reporting – performant récemment sur la crise financière et l'industrie du tabac –, le Center for Public Integrity, Pro Publica, Sunlight Foundation). Une soixantaine de structures « non-profit » (à but non lucratif) se sont développées ces dernières années en Amérique du Nord pour mener ce travail qui consiste à demander des comptes aux puissants.

De plus en plus souvent, des blogs locaux jouent ce rôle de chiens de garde de la démocratie et de mobilisation des communautés, rôle jusqu'ici dévolu uniquement aux médias classiques. Exemples : Lakeland Local, Blogging Belmont ou Sticks of Fire, aux USA.

Des ONG activistes arrivent aussi désormais puissamment sur ce créneau. Des appels à des contributions citoyennes, voire à des subventions publiques, se font jour, y compris en Amérique du Nord.

Ainsi, ce n'est pas la presse américaine, mais un site apatride « non-profit », l'ONG WikiLeaks, qui a dévoilé en 2010 des centaines de milliers d'informations majeures exclusives et classées sur les conflits militaires en Afghanistan et en Irak et les câbles diplomatiques du département d'État. Les personnes qui ont fait « fuiter » ces informations sensibles ont préféré choisir ce canal.

Wikileaks fait désormais partie de l'écosystème des médias, qu'on le veuille ou non, et agit en acteur de contre-pouvoir. Les rédactions classiques ont d'ailleurs du mal à traiter ces centaines de milliers de documents et ne sont pas équipées. Un soutien informatique est indispensable. Mais aussi l'acquisition d'une culture web, de collaboration, de partage et d'ouverture. C'est hélas un esprit qui ne souffle pas vraiment encore dans de nombreuses rédactions.

Wikileaks est le symbole d'une lutte quasi philosophique entre des manières différentes de voir le monde, entre de vieux systèmes clos et une nouvelle culture ouverte de l'Internet qui permet, pour la première fois dans l'histoire, à chacun d'être en prise avec tous les autres et de partager des informations, sans passer par des « *gate keepers* » auto-intronisés. Même si l'agenda d'Assange reste flou, son but semble bien, par des fuites, de mettre à mal les tentatives de conspirations diverses des actuels appareils d'État. D'en dire plus aux citoyens sur les activités de leurs élus.

Ce qui est frappant, depuis l'émergence de Wikileaks sur la scène des médias, c'est la réaction outrée et ultraconservatrice de l'establishment politico-médiatique français ! Nous n'apprenons rien (eux non !), gare à la dictature de la transparence, « l'Internet, c'est la Stasi en pire ».

C'est aussi une grande désinformation : des centaines de milliers de câbles auraient été publiés. Or seuls quelques milliers ont été donnés à des rédactions qui les ont triés et vérifiés. À noter que pour le journal *Le Monde*, Julian Assange fut la personnalité de l'année 2010.

Un mouvement similaire d'apparition d'unités d'investigation « non-profit » surgit parallèlement au Royaume-Uni. Selon le journal britannique *The Independent*, citant en 2010 l'expert Paul Lashmar, le nombre de journalistes d'investigation, en Grande-Bretagne, est passé d'environ cent cinquante dans les années 1980 à moins de quatre-vingt-dix aujourd'hui. Pis : leur cible est désormais constituée essentiellement des sujets « people ».

Le journalisme d'investigation coûte cher. Le financer est de plus en difficile dans les rédactions classiques. Le quotidien des élites de la Nouvelle-Angleterre, le *Boston Globe*, menacé un temps de fermeture, chiffre à 1 million de dollars les huit mois d'enquête des huit reporters dédiés à la mise en lumière en 2002 des abus sexuels du clergé catholique américain, sans compter plusieurs dizaines de milliers de dollars de frais d'avocats.

Point positif : certes, la mission du journalisme d'investigation est menacée, mais la démocratisation de la parole et des outils de diffusion, comme l'ouverture des échanges, signifie qu'il existe désormais plus de voix et plus de moyens pour trouver la vérité, qui sera aussi disponible pour plus de monde.

c) *L'analyse, l'opinion, les commentaires ? Partagés*

Avec l'essor des blogs, et la prise de contrôle des moyens de production et de distribution de l'information par ceux qui en étaient privés auparavant, les fonctions classiques d'analyse de l'information, de commentaire, voire même d'opinion, sont de plus en plus partagées.

Chaque journaliste sait bien que les commentateurs plus experts que lui sur son sujet ou sa rubrique sont innombrables. Jusqu'ici, il les citait dans son article ou les faisait témoigner dans son reportage.

Aujourd'hui, ils sont de plus en plus nombreux à avoir pris la parole directement avec les nouveaux outils numériques, et produisent des contenus de grande qualité analytique et d'expertise sur leurs propres blogs et en accès libre.

Aucune rubrique d'un journal ou d'un magazine généralistes ne peut aujourd'hui sérieusement rivaliser avec les meilleurs blogs spécialistes du sujet. L'internaute en a pris rapidement conscience et se rend directement sur ces sites.

Mais l'expertise a aussi ses inconvénients : plus on est spécialisé, moins on est capable de relier des faits différents, dissemblables, des événements et des disciplines qui n'ont pas nécessairement de rapports entre eux, et, finalement, d'avoir une vue d'ensemble.

d) *Tri, vérification, hiérarchisation, mise en perspective*

Ces fonctions, qui incluent aussi l'assemblage et la contextualisation, restent bien l'apanage des rédactions professionnelles. Un atout encore « incopiable ».

« *So much data, so little time !* » (« tellement d'informations et si peu de temps ! ») : face à l'infobésité, la cure !

Chacun le sent bien dans sa vie quotidienne : l'extraordinaire foisonnement des services en ligne offert aux internautes, la multiplication des flux et des supports, des messages et des *devices*, le volume d'informations agrégées et distillées automatiquement par les algo-rithmes, tout cela est devenu écrasant, insupportable.

Tout simplement parce qu'il y a trop d'informations et pas assez de temps !

Chacun de nous, aujourd'hui, a le sentiment d'être noyé sous un déluge d'informations (courriels, alertes, messages instantanés, lettres d'information, publications, Internet, réseaux sociaux, radios, TV, écrans publics, affichages, etc.).

S'il est vrai qu'il est mieux de vivre avec trop d'informations qu'avec pas assez, nous voulons qu'elles soient mieux organisées. Nous avons besoin d'outils pour mettre de l'ordre dans ce chaos. La multiplication des sources et des diffuseurs, aggravée par l'essor d'Internet, a ajouté de la complexité et de la confusion. L'information peut être corrompue, approximative, mal écrite, parfois à dessein.

Aujourd'hui, nous sommes toujours dans le Web 2.0, caractérisé par la socialisation d'Internet : face au trop-plein d'informations, face à trop de choix, les recommandations de nos amis, dans les sites communautaires, nous simplifient la vie.

D'autant que « sur le Web, il y a de plus en plus d'âneries, mais il y a aussi de plus en plus de contenus extraordinaires et de très grande qualité », estimait l'an dernier un expert américain des médias, Leo Laporte.

« Le problème n'est pas la surabondance d'informations, mais l'échec des filtres », résume bien Clay Shirky, le spécialiste américain de la société numérique.

Dans un tel contexte, les journalistes peuvent reprendre la main.

Comment ? En valorisant bien davantage l'une de leurs tradition-nelles missions essentielles : trier, montrer, partager, organiser, mettre en perspective et bien présenter l'information. Le consomma-teur ne veut plus de surabondance, de trop-plein. Il ne veut pas plus d'informations, il souhaite qu'on lui simplifie la vie. Il est demandeur de cette fonction essentielle de la presse : hiérarchiser l'information.

« La prolifération des signes entraîne la disparition du sens [...]. Plus les informations s'accumulent, plus je suis paralysé devant l'accu-mulation des informations et des connaissances. J'ai un sentiment d'impuissance », déplorait, en 2008, le sociologue des médias Edgar Morin.

Le prix Nobel d'économie Herbert Simon, mort en 2001, avait vu le tsunami venir :

> Ce que consomme l'information est assez évident. Elle consomme l'attention de ses destinataires. Et donc une richesse d'informations crée une pauvreté d'attention.

Les journalistes doivent donc endosser pleinement ce rôle de distillateurs, de séparateurs du bon grain de l'ivraie. Leur nouveau grand défi va être de trouver le signal dans le bruit, l'aiguille dans la botte de foin.

Le journaliste est le seul à être professionnellement entraîné à trouver, vérifier et évaluer une information. Il est souvent plus habitué que d'autres à reconnaître les manipulations et les mensonges. Il sait bien reformuler les faits bruts de manière compréhensible, simple, attrayante, et y ajouter du contexte, aujourd'hui indispensable.

Le journalisme est donc un filtre efficace, avec des rôles importants :

a) trier et vérifier ;

b) simplifier le monde, expliquer, éduquer ;

c) assembler et mettre vite en perspective ;

d) interpréter.

« *Connect the dots* », dit-on en anglais, c'est-à-dire relier les points, les faits, les événements, leur donner du sens. Expliquer leur contexte, présenter d'autres points de vue, les agréger en différents formats, partager. Assumer des choix, avoir une voix, émettre de l'autorité.

Il s'agit bien d'une agrégation de faits éditorialisée.

Il ne suffit plus de donner les deux côtés d'une histoire, mais de trouver rapidement le signal dans le bruit. Le journaliste devrait être inégalé dans la vitesse de contextualisation de l'information.

J'aime souvent citer ces deux phrases de grands professionnels de l'information qui résument bien, à mon sens, la mission dorénavant incontournable de notre profession :

The solution for information overload is journalism[1]. [La solution à la surabondance d'informations est le journalisme.]
News is a commodity, but insight and intelligence are not[2]. [L'information est devenue une denrée banale, mais pas la perspicacité et l'intelligence.]

On le voit, il s'agit bien, aussi, de la prolongation de la mission du journalisme pour organiser le débat démocratique :
a) aider à la navigation, pour montrer ce qu'il y a d'important ;
b) recommander et donner des conseils, dans lesquels on a confiance ;
c) arbitrer, pour délimiter, faire respecter les règles, et modérer, avec une voix d'autorité ;
d) « coacher », pour bâtir ces communautés d'opinion et apprendre au public à mieux se servir des outils que les médias ont longtemps été les seuls à maîtriser.

La solution à l'actuelle crise existentielle du journalisme peut donc passer par du journalisme de qualité, qui assume ces fonctions de tri, de filtre et de sélection.

Aujourd'hui, ce sont des algorithmes qui, de plus en plus, orientent notre attention vers ce qui est important ou pertinent.

Conduire l'internaute sur le Web

Pour continuer d'exister comme guides, les médias devront se transformer en véritables « hubs », en carrefours de distribution de contenus originaux, pertinents. Guides dans le brouhaha de la toile, référents et aides pour des internautes perdus avec des métadonnées aujourd'hui cruciales. Tout comme le journal offrait, en plus des news, de multiples rendez-vous pratiques (programmes cinéma et TV, offres d'emploi, immobilier, voitures d'occasion, bandes dessinées,

---

1. Michael Oreskes (ancien éditeur de l'*International Herald Tribune*), 2007.
2. Rona Fairhead (PDG du *Financial Times*), 2008.

résultats sportifs, mode, bons de réduction, annonces de soldes, etc.).
Sauf que l'Internet est encore plus vaste et qu'il faudra être créatif !

De nombreux patrons de presse voient dans leur marque une
planche de salut et un gage de qualité. Mais dans la ration quotidienne d'informations le rôle des marques est beaucoup moins important qu'avant, la fidélité n'est pas associée à l'une d'entre elles, et
surtout les jeunes n'ont pas forcément les mêmes références que les
générations précédentes. En outre, les fonctions d'autorité et de validation du journaliste professionnel, qui sélectionne et qui publie, ne
seront pleinement efficaces que si reviennent la crédibilité et la
confiance.

Aujourd'hui, les ponts ou les filtres fonctionnent essentiellement
par algorithmes, par notre graphe social en ligne, par les influenceurs,
ou par lieux géographiques. Les moteurs de recherche ont bel et bien
pris cette place sur le Web, tandis que les médias s'y installaient avec
une offre trop proche de leur version imprimée. La priorité est donc
aujourd'hui non seulement de produire son propre contenu original
et « pur Web », de créer des communautés autour, mais aussi de
conduire l'internaute sur la toile, en lui montrant, avec une voix de
confiance, ce qu'on juge intéressant. Pratiquement tous les médias
américains en ligne aujourd'hui ont abandonné le site fermé, empri-
sonnant l'internaute, pour tisser des liens vers l'extérieur, parfois
même en direction de leurs concurrents.

Déterminisme *vs* sérendipité

Cette fonction de guide passe par la gestion d'un savant arbitrage
entre le contenu jugé « intéressant » par les lecteurs, et le contenu jugé
« important » par les journalistes.

The Atlantic Journal-Constitution (mensuel des milieux intellectuels de la Côte est) s'est récemment livré à une comparaison entre les
unes de grands quotidiens (choix des éditeurs) et les sections « Most
e-mailed stories » (articles les plus envoyés) des mêmes journaux :
elles ne se recoupent que dans moins de 25 % des cas ! On peut penser

que les grandes nouvelles n'ont pas besoin d'être envoyées car elles sont connues. Mais, sans faire du Britney Spears à tour de bras, on peut aussi, dit le magazine, « faire intéressant » et mieux expliquer le sens des informations. « L'ancienne une faisait un pari sur votre intérêt, la nouvelle doit désormais le mériter. »

L'un des grands écueils de l'information par les réseaux sociaux, par ses amis et ses pairs, centrée sur des sujets qui nous sont chers, est la diminution de la sérendipité, cet heureux hasard qui permet de trouver des informations que nous n'aurions pas eu la chance de croiser à l'aide de nos liens habituels. Comment découvrir des choses dont nous ne savions pas que nous les cherchions ? En n'échangeant qu'avec des personnes qui nous ressemblent, il est très probable que l'on passe à côté d'informations, de tendances, de changements importants. On reste dans le confort de son cocon.

Il faudra donc maintenir un délicat équilibre entre ce que le public veut et ce qu'il ne sait pas qu'il veut. Répondre à ce qui l'intéresse, mais trouver aussi les informations qu'il ne sait pas encore qu'elles vont l'intéresser. Trouver des ponts vers des sujets qui ne sont pas dans les sphères habituelles des médias classiques, apprendre à savoir ce qui importe par ailleurs.

Le journalisme est là pour redonner du sens à un monde complexe. En somme, pour reprendre les fameux fondamentaux « W » chers aux journalistes anglo-saxons pour définir la profession de journaliste : sa valeur réside moins aujourd'hui dans la fourniture au reste de la société du « *Who ? What ? Where ? When ?* » (qui ? quoi ? où ? quand ?) que, de plus en plus, dans le « *How ? Why ? What's next ?* » (comment ? pourquoi ? ensuite ?).

À cet égard, sans doute devrait-on aussi demander au journaliste d'être plus anticipateur, prospectiviste, d'être moins focalisé sur hier et davantage sur aujourd'hui et demain. Ainsi notre profession ne serait-elle pas passée à côté aussi longtemps des phénomènes de changement climatique, du *peak oil*, de la crise du crédit, qui figurent pourtant parmi les événements les plus importants de ces dernières années.

110

3. L'INFORMATION EST UN BIEN PUBLIC

On l'a vu, le financement d'un vrai journalisme d'investigation de qualité est de plus en plus improbable, sauf à recourir plus souvent à des solutions de type non lucratif (fondations, trusts, mécènes, subventions…).

a) « Don't kill the messenger »

La disparition progressive d'un regard de qualité et objectif sur le monde, d'un accès à une information plurielle et vérifiée, de capacités de décryptage et d'analyses indépendantes, diffusées facilement jusqu'ici par des médias de masse, constitue-t-elle un danger pour les démocraties ?

La valeur sociale du journalisme, son rôle dans la société, parfois inscrit dans la constitution, comme aux États-Unis ou au Portugal, serait-il en danger ?

Un autre type de journalisme citoyen est peut-être souhaitable : celui d'un engagement financier, via des actes individuels de philanthropie, des fondations, des initiatives collectives et autres soutiens de nature publique. Est-ce un hasard si c'est de cette manière que certains des meilleurs médias réussissent aujourd'hui en ligne, à l'instar du *Guardian*, de la BBC ou de NPR ?

Moins bien informés, les citoyens sont moins bien armés face aux pressions politiques et économiques. Un comble dans notre nouveau monde Internet, où prolifèrent connaissances et informations !

Car, dans ce nouveau monde, les médias traditionnels n'ont toujours pas trouvé le modèle économique pour profiter de la révolution numérique. Ils luttent pour leur survie et mettront de longues années à retrouver, le cas échéant, un équilibre. Pendant que les forces du marché testent de nouveaux moyens de financer des rédactions, les citoyens, les pouvoirs publics, les entreprises, les nouveaux géants du Web doivent aider le journalisme à traverser cette période de transition et surtout l'encourager à se réinventer.

Mécénat, philanthropie, fondations, associations, aides, journalisme à but non lucratif sont autant de pistes de réflexion, à condition que soit sauvegardée une totale indépendance éditoriale. À condition aussi que la presse adapte ses contenus, souvent dépassés, à la société actuelle.

b) Pourquoi la crise et jusqu'à quand ?

Jamais, depuis Gutenberg, l'écrit n'a connu une telle révolution. D'abord, Internet change complètement la manière du public de s'informer et a ruiné le monopole de la production et de la distribution d'informations. Ensuite, les modèles économiques, déjà « plombés » par des boulets historiques, sont pulvérisés par le raz de marée de la gratuité. Résultat : la diffusion des journaux s'effondre et les audiences des radios et des télés reculent.

D'ailleurs le journalisme, coûteux en ressources humaines, n'a jamais été un modèle de business « qui tenait debout tout seul » : il a toujours, ou presque, été subventionné par les petites annonces, la publicité extérieure, ou une situation de monopole.

Migrez donc sur Internet ! Bien sûr ! Mais cela prend du temps, et surtout, le compte n'y est pas ! Loin de là ! La publicité, qui finançait jusqu'ici le journalisme, est désormais saupoudrée sur un très grand nombre de supports, à la mesure de l'incroyable course à l'attention du public qui se joue aujourd'hui[1]. Pratiquement aucun site de news ne peut faire vivre aujourd'hui une vraie rédaction, pas même le *New York Times*[2], leader en ligne aux USA.

Et, selon les analystes financiers, c'est parti pour durer plusieurs années, avant que les entreprises de presse ne s'adaptent aux nouveaux usages et aux nouvelles technologies, et qu'elles ne se réinventent. Surtout si la récession ne s'éloigne pas. Les marchés financiers n'ont

---

1. Voir http://mediawatch.afp.com/?post/2008/05/21/Revolution-permanente-dans-leconomie-de-lattention.
2. Voir http://www.nytimes.com/2008/06/02/business/media/02virgin.html?ref=business.

pas la patience aujourd'hui de soutenir des journaux[1], télés ou radios, dans cette phase de transition douloureuse. Certains groupes de presse renoncent à la Bourse pour se soustraire aux pressions des marchés sur les marges. Ce fut le cas du grand groupe Tribune fin 2007.

c) En quoi la crise de la presse est-elle une menace pour la démocratie?

La situation s'aggrave: sous pression de leurs actionnaires, de Wall Street, de propriétaires industriels aux agendas incertains, les médias sont désormais aussi confrontés à la banalisation de la valeur de leur produit: l'information devient une denrée comme une autre, bon marché, et, de plus en plus souvent, gratuite.

Mais « Internet est devenu aussi vital que l'eau ou le gaz », avait estimé en 2009 le Premier ministre britannique Gordon Brown. La Finlande, quant à elle, est devenue le premier pays à faire de l'accès au *broadband* un droit des citoyens.

« Grâce à Internet, des informations locales ou mondiales en temps réel sont devenues des denrées banales, comme l'eau du robinet », écrivait en 2007 *Fast Company*, le magazine américain de la nouvelle économie[2].

Mais les médias en ligne, avec leurs recettes publicitaires bien moins importantes et de très rares abonnements, ne peuvent pas financer des opérations éditoriales importantes.

Ils réduisent donc la voilure et coupent dans leurs ressources. Les salles de rédaction rétrécissent[3], les correspondants à l'étranger sont supprimés, les éditeurs sont moins nombreux, les enquêtes fouillées, de plus en plus rares, car les journalistes sont forcés de jongler avec le « temps réel » d'Internet. En somme, faire plus avec moins. Même la

1. Voir http://tomglocer.com/blogs/sample_weblog/archive/2008/01/31/1376.aspx.
2. Voir http://www.fastcompany.com/magazine/114/open_next-essay.html.
3. Voir http://mediawatch.afp.com/?post/2008/07/03/4th-of-July-%3A-la-fete-gachee.

couverture nationale diminue au profit de sujets de proximité, voire hyperlocaux. Ce phénomène, qui a frappé d'abord tous les grands médias américains, a gagné l'Europe, notamment la Grande-Bretagne et l'Espagne.

Une étude de l'école de journalisme de l'Université du Missouri montre que les médias traditionnels offrent toujours plus d'informations et de meilleure qualité que les blogs ou les sites d'informations générées par le public.

À l'heure de la mondialisation galopante, les citoyens risquent d'être moins bien informés. Un comble, dans cette nouvelle ère numérique de l'information, où chacun est confronté à toute heure, faute de tri et de vérification, aux rumeurs, aux diffamations, aux mensonges, aux opinions et parfois mêmes à quelques informations exactes. Mais comment savoir dans un tel brouhaha ? Il y a de moins en moins de professionnels pour surveiller les différents pouvoirs.

« Les grands journaux ne sont pas des entreprises comme les autres. Ils alimentent nos sociétés avides de connaissances en informations fiables et de qualité. Ils produisent un bien public que le marché concurrentiel est incapable de fournir dans de bonnes conditions » [1], écrivait en 2007 Martin Wolf, l'éditorialiste vedette du *Financial Times*, le grand quotidien du monde des affaires de la City, peu soupçonnable de tentations collectivistes.

Le groupe de presse américain Tribune a supprimé tous les postes de correspondants étrangers du *Baltimore Sun* et de *Newsday*. C'est le cas aussi du *Boston Globe* ou du *Philadelphia Inquirer*. « Un pays aussi puissant que les États-Unis ne peut se permettre d'avoir des citoyens aussi mal informés que les dirigeants du *Tribune* semblent le souhaiter », estimait alors le *Guardian* [2].

Leurs décisions ne sont pas seulement à courte vue, elles sont fondamentalement antidémocratiques. Elles privent les lecteurs de fenêtres importantes sur le monde et réduisent la connaissance des débats qui peuvent surgir sur des points cruciaux de politique. Le *Tribune* préfigure une

1. Voir http://cachef.ft.com/cms/s/0/0f228084-1766-11dc-86d1-000b5df10621.html.
2. Voir http://www.guardian.co.uk/commentisfree/2007/mar/10/killingthenews.

tendance très inquiétante. Espérons que ses lecteurs diront « trop, c'est trop » avant de perdre leur accès aux informations de qualité, si vitales pour le fonctionnement d'une société compliquée et démocratique.

« Le citoyen lambda ne réalise pas les dégâts causés à son droit à l'information par ce type de comportement »[1], estime Neil Henry, ancien reporter au *Washington Post* et professeur de journalisme à Berkeley.

Le journalisme n'est pas seulement un problème de jobs ou de dollars perdus. C'est une institution publique vitale pour une société libre.

En Europe, le philosophe Jürgen Habermas, l'un des intellectuels allemands les plus écoutés, a tiré la sonnette d'alarme en 2007 lorsque la *Süddeutsche Zeitung* était en danger[2]. Il plaide pour un soutien public aux médias en difficulté :

> Quand le gaz, l'eau ou l'électricité sont menacés, l'État doit en garantir la fourniture. Pourquoi en serait-il autrement lorsqu'une autre forme d'énergie – dont la disparition menacerait directement l'État – est en danger ?

d) Quelles solutions ?

Ce qui est bon pour le Web n'est pas forcément bon pour la démocratie.

La verticalité des contenus (la spécialisation) et la tentation communautaire (ne retrouver que ses pairs et ses sujets favoris), caractéristiques du Web 2.0 et des médias sociaux, ne favorisent pas la hauteur de vues.

Nous devons encourager une utilisation plus horizontale d'Inter-

1. Voir http://www.sfgate.com/cgi-bin/article.cgi ?file=/chronicle/archive/2007/05/29/E DGFKQ20N61.DTL.
2. Voir http://blogsourcingexperience.blogspot.com/2007/06/habermas-il-faut-sauver-la-presse-crite.html.

net. Nous devons exposer les gens à des choses qu'ils ne connaissent pas. Une récente étude montre que deux tiers des Américains ne savent pas qui est le président de la Russie.

Il redevient aussi pertinent de défendre la notion de mission de service au public, de valoriser l'information en tant que « bien public », ingrédient indispensable de la bonne marche des démocraties.

Le journalisme citoyen, ce n'est pas seulement permettre à chacun de s'exprimer sur la Toile, c'est aussi permettre au citoyen de financer – directement ou indirectement – un journalisme de qualité pour continuer à comprendre le monde. Le citoyen, ses représentants, élus et pouvoirs publics, acteurs économiques, doivent engager la réflexion sur le rôle civique de la presse dans le fonctionnement de la démocratie qui, moins bien informée, sera plus exposée à des pressions politiques ou économiques.

Paradoxalement, c'est du côté des démocraties les plus libérales que l'idée de faire de l'information un bien public résonne le plus aujourd'hui.

« Il existe une autre option, affirme *Fast Company*, c'est l'entreprise à vocation sociale. Nous, journalistes, aimons l'idée noble de servir l'intérêt public. Et dans ce cas pourquoi ne pas laisser le public soutenir les journaux ? »

L'*American Journalism Review* a publié en 2008 un long article, baptisé « Nonprofit news »[1], qui montre comment des initiatives, combinant financements par des fondations et philanthropie, prolifèrent dans la presse aux États-Unis.

Les plus grandes réussites dans l'information de qualité indépendante sont actuellement celles de la britannique BBC et de l'américaine NPR. Ces deux médias audiovisuels publics ont de surcroît bien réussi leur virage sur le Web. La radio NPR est financée par des dons importants de mécènes, mais également par ses auditeurs : un sur dix est contributeur financier à la station. En Europe, *The Guardian* (UK), probablement le média européen le plus en pointe sur le Web, est organisé en trust.

1. Voir http://www.ajr.org/article_printable.asp ?id=4458.

Infobésite : une solution, le journalisme

Face aux marchés, *Time Magazine* a récemment confirmé la réflexion en cours de groupes de presse américains pour s'organiser en trusts, fondations ou associations à but non lucratif, afin de défendre le rôle civique des médias plutôt que leur potentiel à rémunérer des actionnaires[1].

L'un des meilleurs quotidiens régionaux américains et le plus important de Floride, le *St Petersburg Times*, est organisé en trust et détenu par le Poynter Institute, école de journalisme à but non lucratif. Comment ne pas penser aussi aux fondations ou associations qui financent *National Geographic*, *Foreign Affairs*, ou *Harpers*, l'un des plus vieux magazines américains, ou encore au *Walrus*, sans doute le meilleur magazine canadien ?

À noter, au Canada toujours, l'expérience d'un nouveau site *pure player* d'informations locales, Mediasud.ca, financé par des fonds publics et en partie par la province de Québec.

La Fondation Knight pour le journalisme a donné 5 millions de dollars au fameux Media Lab du MIT pour financer un Center for Future Civic Media, chargé de développer, tester et étudier des nouvelles formes de médias high-tech au sein des communautés urbaines. Elle s'est engagée à verser 25 millions de dollars sur cinq ans pour développer de nouvelles formes de journalisme numérique tourné vers les communautés, et financera l'effort de formation de près de cinq cents personnes du staff de NPR pour sa mutation vers le tout numérique.

Pour lancer Pro Publica, son agence de presse en journalisme d'investigation, Paul Steiger, peu suspect de sympathies altermondialistes après seize ans passés à la tête du très conservateur *Wall Street Journal*, a misé sur le journalisme à but non lucratif et vient d'obtenir le soutien de philanthropes californiens, qui verseront 10 millions de dollars par an pour employer vingt-cinq journalistes d'investigation. Comme si c'était désormais le seul moyen de financer du journalisme de qualité. De même, vient de se lancer *The Washington Independent*, dernier exemple en date de journalisme à but non lucratif.

1. Voir http://www.time.com/time/magazine/article/0,9171,1619562,00.html.

117

Le déclin des activités journalistiques aux USA a provoqué une flambée d'initiatives de fondations, souvent financées par une famille de mécènes milliardaires, pour défendre l'information tel un bien public consubstantiel à la démocratie. Quelque 128 millions de dollars ont été investis dans cent quinze opérations éditoriales de dix-sept États différents. Quelque soixante d'entre elles subsistaient fin 2010.

Les trois plus grosses rédactions d'investigation sont : le Center for Investigative Reporting, le Center for Public Integrity et Pro Publica (10 millions de dollars par an). Elles ont reçu au total 56 millions de dollars. Ces rédactions, dont le contenu est souvent gratuit, entreront rapidement en concurrence avec des sites d'information protégés par des murs payants.

Dernières initiatives américaines d'envergure :

a) The Chicago News Cooperative : un groupe d'anciens journalistes de quotidiens, aidés par une fondation, a monté une structure éditoriale à but non lucratif. Elle devient le premier fournisseur du *New York Times* et des sites locaux pour des informations régionales de la région de Chicago ;

b) The Texas Tribune (6 millions de dollars), nouveau site à but non lucratif, qui propose un mélange de journalisme et d'organisation de conférences et de forums. Mise en valeur notamment d'une dizaine de bases de données pour aider au journalisme d'investigation. À noter également qu'entre la SA et le « à but non lucratif », le Vermont a inventé le *low profit*, qui pourrait bien être adapté aux médias si les investisseurs se mettaient d'accord pour accepter un retour variable, voire nul ;

c) The Bay Citizen, lancé à San Francisco avec 9 millions de dollars.

Certains, comme America News Network (financé à hauteur de 11 millions de dollars), sont déjà en difficulté financière et réduisent la voilure.

Au Royaume-Unis s'est lancé aussi The Investigative Fund (dont la mission est de soutenir l'intérêt public pour le journalisme) à l'initiative de journalistes chevronnés britanniques financés par une fondation et des dons.

118

Infobésite : une solution, le journalisme

Fin 2009, le *New York Times* a relancé le débat dans une tribune écrite par deux financiers de Yale, recommandant de faire passer les journaux sous le statut de fondations à but non lucratif comme nombre d'universités américaines[1].

> En faisant passer les sources de nos informations les plus précieuses sous le statut de fondations, nous les libérerons des structures obsolètes de modèles d'affaires que ne fonctionnent plus, et nous leur donnerons une place permanente au sein de notre société, au même titre que nos universités […] leur permettant aussi de servir le bien public plus efficacement.

« Fini les pressions des actionnaires ou des annonceurs. » Il faudrait ainsi une dotation de 5 milliards de dollars pour faire vivre le *New York Times* (dont la rédaction coûte 200 millions de dollars par an). Seuls quelques fondations et milliardaires en ont les moyens, estiment les auteurs, qui en appellent à des « philanthropes éclairés pour agir maintenant ».

Peu avant, le Knight Digital Center estimait très probable le recours croissant de médias américains à des donations de mécènes et de philanthropes[2]. La Fondation Knight finance ainsi des opérations éditoriales locales, mais le plus souvent orientées vers l'utilisation des nouvelles technologiques numériques.

Depuis, le débat fait rage.

Dans le magazine *The New Yorker*, Steve Coll, ancien patron de l'information du *Washington Post*, a renchéri : « À court terme, il va y avoir très vite deux sortes de journaux non-profit. Ceux qui l'auront délibérément choisi et ceux qui n'en peuvent mais. »[3] Le coût de la rédaction du *Post* était en 2005 autour de 120 millions de dollars par an. Depuis, le grand quotidien s'est séparé de dizaines de journalistes, a coupé dans ses bureaux à l'étranger et supprimé des cahiers entiers du journal.

---

1. Voir http://www.nytimes.com/2009/01/28/opinion/28swensen.html.
2. Voir http://www.ojr.org/ojr/people/davidwestphal/200901/1627.
3. Voir http://www.newyorker.com/online/blogs/stevecoll/2009/01/nonprofit-newsp.html.

Coll reconnaît que des initiatives intéressantes de journalisme émergent çà et là en ligne, mais, signe de sa génération, il estime aussi qu'« il n'y a tout simplement pas aujourd'hui de substitut à la réflexion, au reportage et à l'observation, menés de manière professionnelle, sans répit et avec le sens de l'intérêt général, qui ont fait merveille depuis la fin de la Seconde Guerre mondiale dans les salles de rédaction américaines – jusqu'au début de la fin, vers 2005 ».

« Pour faire vivre le *Washington Post*, ajoute-t-il, il faudrait une dotation de 2 milliards de dollars, soit 5 % de la fortune de Warren Buffett », qui siège d'ailleurs déjà au conseil d'administration du *Post*. Ou un coup de pouce de Bill Gates !

Même au pays du libéralisme, deux sages du journalisme prônent l'intervention des fondations, de l'État et des citoyens pour sauver le journalisme. Michael Schudson (professeur à Columbia) et Leonard Downie (ancien éditeur du *Washington Post*) estiment en effet trop fragiles les initiatives récentes visant à créer de nouvelles opérations éditoriales.

Allison Fine, spécialiste des nouveaux médias, juge ces positions « complètement stupides » : « Au nom de quoi les journaux seraient les seuls à demander des comptes aux gouvernants ? » Elle s'insurge surtout au sujet de deux choses : que les business non viables soient voués à devenir « non-profit » et que malgré la crise actuelle on leur donne des milliards de dollars.

Un des sites de Slate, The Big Money, a aussi critiqué cette « solution du jour »[1] (en français dans le texte), estimant que les possibilités du Web sont encore insuffisamment exploitées, que les rédactions d'antan ne sont sûrement pas les plus efficaces aujourd'hui et que s'agenouiller régulièrement devant des bailleurs de fond n'est pas sain...

> Et [ajoute-t-il] quid de la couverture du sport ou du cinéma ? Est-ce bien du ressort du non-profit ? Quid des conseils en matière d'investissements financiers ? [...] Les journaux ne se vendent plus car les gens ne les jugent plus utiles ou nécessaires.

1. Voir http://tbm.thebigmoney.com/articles/impressions/2009/02/02/endowed-and-out?page=full.

Infobésite : une solution, le journalisme

La presse a été sur la défensive des décennies durant face à la vague technologique et maintenant qu'elle est submergée, nous sommes à la croisée des chemins. Mais ce n'est pas parce que les vieux modèles d'affaires ne marchent plus pour l'information que de nouveaux ne vont pas émerger.

e) Papa gâteau

Les journalistes, comme la plupart des gens, aiment que les choses de l'avenir ressemblent à celles du passé ; et un gentil milliardaire semble la bonne solution pour prolonger les normes journalistiques que nous avons connues. Mais avant que nous nous engagions dans cette voie, laissons une chance aux entrepreneurs. De nouveaux modèles seront au bout du compte une meilleure garantie pour un journalisme de qualité – et pour la démocratie – que des papas gâteaux.

Cette position est mise en pièces par Portfolio.com, un des sites de Condé Nast, qui juge qu'on devrait, au contraire, donner sa chance au « non-profit »[1].

Sur son site, le *New York Times* a publié des réactions riches et passionnées à la tribune des financiers de Yale[2].

Au Canada également, le débat est lancé. L'ancien patron du *Toronto Star* évoque toutes sortes de pistes[3], notamment les initiatives françaises des états généraux de la presse de 2008-2009, juge primordial que nous restions dans nos sociétés bien informés et redoute, à le constater, le recul du journalisme de qualité.

---

1. Voir http://www.portfolio.com/views/blogs/market-movers/2009/02/03/nonprofit-newspapers-worth-a-try.
2. Voir http://www.nytimes.com/2009/01/31/opinion/l31endow.html.
3. Voir http://www.thestar.com/article/580452.

f) L'aide de l'État au nom du péril démocratique

L'aide de l'État n'est plus taboue aux États-Unis, où certains plaident ouvertement pour un plan de sauvetage (*bailout*), à l'instar de ce qui a été fait pour les banques ou le secteur automobile.

Un sénateur démocrate du Maryland, Benjamin Cardin, a introduit en 2009 un projet de loi, The Newspaper Revitalization Act, pour permettre aux journaux de se transformer en institutions ou en fondations à but non lucratif, avec des avantages fiscaux pour les donateurs.

L'aide par habitant aux médias, au Canada, est seize fois plus importante qu'aux États-Unis, et en Grande-Bretagne, soixante fois plus importante.

L'administration Obama s'est dite en tout cas plus ouverte à un assouplissement des réglementations antitrusts pour les groupes de presse, mais a refusé pour l'instant le sauvetage financier des journaux. Mais l'Association américaine des journaux (NAA) s'est dite opposée, devant le Congrès, à tout plan de sauvetage public du gouvernement. Pas moins de 80 % des Américains y sont d'ailleurs opposés. Certains commentateurs américains évoquent même la possibilité pour les grands syndicats de financer les médias.

Pour la première fois, un État (le New Hampshire) a d'ailleurs participé au renflouement en 2009 d'un quotidien (*Eagle Times*) en garantissant 75 % d'une ligne de crédit de 250 000 dollars. Le journal a réouvert en octobre après une fermeture de trois mois.

La majorité des Canadiens, quant à elle, est désormais favorable à un plan de sauvetage des journaux.

En Corée du Sud, le parti au pouvoir travaille sur un projet de loi assurant aux journaux, comme en Finlande, des abonnements importants venant de l'Éducation nationale et des universités.

En Espagne, la Fédération des associations des journalistes d'Espagne (Fape) a réclamé des aides publiques pour le secteur de la presse, qui répond à la crise économique par d'importants licenciements. Mais les médias espagnols ont refusé le plan du gouvernement de Madrid, jugé insuffisant. « Devons-nous mourir indépendants ou vivre dans la dépendance ? », s'est interrogée une patronne de presse espagnole.

En France, au terme des états généraux de la presse écrite, l'État a accordé 600 millions d'euros pour aider la presse, mais il réclame un suivi plus étroit de l'utilisation de ces fonds.

Mais pourquoi ne pas demander aussi à Google et autres *pure players*, qui vivent souvent des contenus des autres et ont pris leur place comme nouveaux supports de la publicité, de soutenir le rôle civique du journalisme ? Ce n'est pas Google ou le Web qui détruisent le journalisme. Mais ils le coupent de ses moyens de financement. Bill Gates et sa fondation donnent l'exemple en finançant des bourses d'études en journalisme de santé en Afrique.

De même Craigslist, le « tueur de journaux », comme certains l'appellent aux États-Unis, qui a détruit une grande partie des petites annonces des journaux américains, vient de faire une donation de 1,6 million de dollars à Berkeley pour y créer la première chaire nouveaux médias.

Quels moyens concrets en France ? Dans le cadre de l'association Presse et Pluralisme, dispositif d'aide pour des services d'intérêt général, il existe désormais des facilités fiscales accordées aux dons faits aux fondations [1].

Est-ce suffisant ? Certains réclament aussi la baisse de la TVA pour la presse en ligne.

Faudra-t-il en arriver à former les journalistes au *fund raising* pour financer à la pièce telle ou telle enquête ?

Il faut recréer de la rareté dans un nouveau monde dominé par l'abondance, par une concurrence démultipliée et par l'ubiquité, et trouver les moyens de pérenniser le journalisme de qualité. Être vigilant, défendre la vérité, surveiller les puissants, expliquer le monde, éclairer les citoyens, organiser l'accès à la complexité sont l'honneur

---

1. Voir http://www.lefigaro.fr/medias/2007/12/12/04002-20071212ARTFIG00411-la-presse-va-beneficierdes-dons-des-particuliers.php.

des journalistes. Cela fait partie également de leurs devoirs et de leur mission dans la société. Pour combien de temps encore ?

Il sera également intéressant de voir si un jour le public sera prêt à commander, et à financer, des couvertures à des opérations éditoriales nouvelles, comme tente de le faire l'expérience américaine de Spot.us. En France, Rue89 et le site Glifpix devaient aussi tenter l'expérience fin 2010.

Une chose reste sûre, même sur le Web, sphère financièrement déflationniste où la valeur des contenus se dévalorise, l'information n'est jamais gratuite. Il y a forcément quelqu'un qui la paie : l'audience, l'annonceur ou... le producteur.

Aujourd'hui, la première ne veut plus payer, le deuxième a moins d'argent et réclame un bien meilleur retour sur investissement.

4. La contre-réforme

> Dans le domaine de la connaissance, « la cécité n'est pas une faute, mais une lâcheté ».
>
> Friedrich Nietzsche

D'autres facteurs importants – mais fréquents en période de révolution – freinent la réinvention, pourtant nécessaire des métiers du journalisme.

Les États, les gouvernements, l'Union européenne reconnaissent tous être dépassés par l'effondrement de l'écosystème média du monde d'hier, et l'apparition brutale des nouveaux usages de l'économie numérique.

Ils n'ont pas les capacités d'analyse à la hauteur des dizaines de lobbystes lancés par Google à Bruxelles et à Washington, ou des énormes ressources financières des grands opérateurs de télécommunications à la manœuvre.

Confrontés à la fin des incroyables années de la génération des baby-boomers, les patrons de presse, qui se croyaient immortels, éprouvent la tentation de jurer que le « balancier finira bien par revenir », d'ériger des murs, de « faire rentrer le génie dans la bouteille », de reprendre la main.

La volonté de restauration d'un ordre ancien, alimentée par un mouvement classique de « contre-réforme », fait son apparition. « Ça tiendra bien jusqu'à ma retraite », « courbons le dos et attendons le Web 3.0 », « informer, c'est un boulot de journalistes », « il n'y a pas de révolution numérique », « qui se souvient encore des radios libres ? », « a-t-on finalement bien fait d'aller sur le Web ? », entend-on du haut en bas de la hiérarchie des médias traditionnels, du secrétaire de rédaction au reporter en passant par le chef de service, le rédacteur en chef et la direction. Il faut compter avec un vrai conservatisme de la profession qui a du mal à faire face à l'idée d'un nécessaire changement dans sa manière de travailler. Un conservatisme amplifié aussi par des décisions de management qui privilégient souvent, face aux bouleversements technologiques, la réduction des coûts plutôt que l'expérimentation, la formation et l'investissement.

Ainsi, face à une culture de l'écran qui s'étendait déjà rapidement, il semblait logique, voici peu, de voir les dirigeants des opérations Web prendre rapidement le pouvoir dans la presse et les médias. Il n'en est encore rien. Ni aux États-Unis, ni en Europe.

La transition vers le numérique est laborieuse : le Web, qui ne représente qu'au maximum, et dans de rares cas, 20 % des revenus, n'est toujours pas au centre des stratégies, et reste souvent comme un additif ennuyeux dont il faut se doter. Pis : il est souvent bridé (« laissez les adultes s'occuper de cela ! »). La récession a freiné les ardeurs et les ressources dévolues à cette diversification. Il reste difficile d'admettre qu'Internet est un média différent, que le monde numérique est un autre univers, avec ses propres ressorts sociétaux et culturels. Malheureusement, aujourd'hui, soit on nie cette réalité, soit on la met sous le tapis. Comme dans la musique hier, le cinéma aujourd'hui et le livre demain. Espérons que la télévision saura un peu mieux gérer le virage !

Mais la tradition ne constitue pas un modèle économique. Et la bataille pour les modèles d'affaires de demain ne fait que commencer.

L'histoire a montré que les forces de résistance aux changements, y compris dans le secteur de la culture, de la communication et des médias, étaient colossales.

« La plume est une vierge, l'imprimerie une putain »

« *Est virgo hec penna, meretrix est stampificata* », écrivait à Venise, au XVᵉ siècle, le dominicain Filippo della Strada, condamnant sans appel l'imprimerie, dans « une argumentation partagée par une large partie du Sénat et de la cité ».

Le mouvement classique de contre-réforme qui tente de diaboliser Internet, prend de l'ampleur en ce moment dans bien des couches des institutions de la société, y compris dans les médias traditionnels.

Rien de nouveau, quand il s'agit de révolution ! Pensons à Luther contre le Vatican, ou à la chouannerie. Mais cette réaction a souvent existé dans notre secteur. Revenons donc à notre dominicain :

> Pour lui, l'imprimerie est plusieurs fois coupable : elle corrompt les textes, mis en circulation dans des éditions hâtives et fautives, composées pour le seul profit ; elle corrompt les esprits en diffusant des textes immoraux et hétérodoxes, soustraits au contrôle des autorités ecclésiastiques ; elle corrompt le savoir lui-même, avili par sa divulgation auprès des ignorants [1].

Cela ne vous rappelle rien ? Continuons la description de l'arrivée de l'imprimerie, destinée aux non-doctes (extraits du même remarquable ouvrage) :

> À plus long terme, la résistance de la publication manuscrite, certes minoritaire mais néanmoins robuste, se lie à la représentation durable et largement commune aux élites sociales et intellectuelles, qui identifie la dissémination du savoir à sa profanation. Le partage de la capacité à lire et à écrire et la multiplication des livres imprimés sont sources de désarroi pour les clercs, ecclésiastiques ou laïques, qui entendent monopoliser la publication ou l'interprétation des textes. [...] Mais nombre de textes aussi constatent que la multiplication des livres est source de désarroi plus que de savoir, dénoncent la méprisable condition des imprimeurs gyrovagues, ou attribuent la dégradation des textes à l'ignorance des typographes ou à celle de lecteurs incapables de comprendre les œuvres auxquelles l'imprimerie leur a donné accès.
> [...]
> C'est pourquoi la production de nouveaux manuscrits augmenta jusqu'en 1470 et la production imprimée décolla tardivement, vingt ans après l'invention de la nouvelle technique.

Au XIXe siècle également, même les plus grands étaient hostiles aux changements :

« Prends garde ! Tu es sur une pente ! Tu as déjà abandonné les

---

1. Roger Chartier, *in* Patrick Boucheron (dir.), *L'Histoire du monde au XVe siècle*.

plumes d'oies pour les plumes de fer, ce qui est le fait d'une âme faible », écrivait Flaubert, en 1865, à son ami Maxime Du Camp.

Et Victor Hugo, comme Alexandre Dumas fils, se servit, jusqu'à sa mort, de la plume d'oie, « celle qui a la légèreté du vent et la puissance de la foudre ».

Plus près de nous, en 1900, l'écrivain Remy de Gourmont se pose toujours des questions sur l'imprimerie, et entrevoit déjà un monde nouveau :

> Jusqu'ici, et je reprends l'allusion au rôle conservateur de la civilisation moderne, l'imprimerie a protégé les écrivains contre la destruction, mais le rôle sérieux de l'imprimerie ne porte encore que sur quatre siècles. Cette invention lointaine apparaîtra un jour telle que contemporaine à la fois de Rabelais et de Victor Hugo. Quand il se sera écoulé entre nous et un moment donné du futur un temps égal à celui qui nous sépare de la naissance d'Eschyle, dans deux mille trois cent soixante-quinze ans, quelle influence l'imprimerie aura-t-elle eue sur la conservation des livres ? Peut-être aucune.
>
> [...]
>
> Il n'est pas probable que de la littérature française du Moyen Âge beaucoup plus de la centième partie ait survécu aux changements de la mode. Presque tout le théâtre a disparu. Le nombre des auteurs devait être immense en un temps où l'écrivain était son propre éditeur, le poète son propre récitateur, le dramaturge son propre acteur. En un certain sens, l'imprimerie fut un obstacle aux lettres ; elle opérait une sélection et jetait le mépris sur les écrits qui n'avaient pu parvenir à passer sous la presse. Cette situation dure encore, mais atténuée par le bas prix de la typographie mécanique.
>
> L'invention dont on nous menace, d'un appareil à imprimer chez soi, multiplierait par trois ou quatre le nombre des livres nouveaux ; et nous retrouverions les conditions du Moyen Âge : tous ceux qui ont quelques lettres – et d'autres, comme maintenant – oseraient la petite élucubration qu'on glisse à ses amis avant de l'offrir au public. Tout progrès finit par se nier lui-même ; arrivé à son maximum d'expansion, il tend à rétablir l'état primitif auquel il s'était substitué [1].

---

1. Voir http://www.remydegourmont.org/de_rg/oeuvres/chemindevelours/notice.htm.

Il est vrai que Socrate, lui-même, ne croyait pas dans l'écrit : « L'écrit ne véhicule pas la connaissance, mais l'illusion de la connaissance. »

Aujourd'hui, le message est assez simple : Internet, c'est le lynchage, le piratage, le complot. Le lynchage, le piratage, le complot, c'est mal. Donc, Internet, c'est mal !

Il faut refaire rentrer le génie dans la bouteille ! Un objectif, qui, sous couvert de désir de régulation, cache souvent un mouvement réactionnaire, qui n'apprécie guère la perte du magistère de la parole et la prise de contrôle des outils de production et de distribution des anciennes élites (politiques, économiques, sociales, médiatiques).

Mais le monde a changé.

Les dirigeants de l'institut d'opinion Giacometti Péron & Associés le décrivaient ainsi dans *Le Monde* en février 2010 :

> Les tribus, communautés, groupes et autres réseaux créent de volatiles solidarités qui s'agrègent et se recomposent, consacrées par Internet et les formes de sociabilité du Web 2.0. Sphères privées ou publiques, les espaces se confondent. Les émetteurs et les relais sont concurrencés, les messages sont commentés, discutés, décortiqués et parfois décomposés. Avec son cortège de certitudes ébranlées, la crise économique du nouveau siècle n'a fait que renforcer la méfiance envers toute parole verticale.

Encore une fois, l'imprimerie a permis au public de lire, et Internet lui permet aujourd'hui d'écrire, de prendre la parole, de partager à très grande échelle, de s'organiser. C'est aussi un mouvement de démocratisation. On le vante pour l'Iran ou la Chine, moins chez nous !

Je ne me lasse pas de la description du bouleversement causé par l'arrivée de l'imprimerie il y a cinq cents ans, et je continue de citer Roger Chartier, qui, dans son chapitre intitulé « L'ordre des livres », peint « une nouvelle culture écrite » qui « a répondu aux attentes » :

> Avec l'invention de Gutenberg, plus de textes sont mis en circulation et chaque lecteur peut en lire un plus grand nombre. Assurant la repro-

duction et la dissémination de l'écrit à une échelle inconnue au temps de la copie à la main, l'imprimerie a répondu aux attentes…

[…] l'invention de Gutenberg n'a pas transformé seulement la production livresque. Elle a également, ou peut-être surtout, provoqué de profondes mutations dans la culture écrite, saisie dans son ensemble.

[…] l'écriture s'empare des murs, se donne à lire dans les espaces publics, transforme les pratiques administratives et commerciales.

[…] les lecteurs du passé, en particulier les lecteurs lettrés, se sont souvent emparés des ouvrages sortis des presses en corrigeant à la plume les erreurs qu'ils y trouvaient, en établissant les indices ou les errata qui leur étaient utiles, et en les annotant dans les marges.

Chartier montre aussi le « mépris de l'imprimé et publication manuscrite » :

Pas plus au XVe siècle qu'aux siècles suivants, l'invention de Gutenberg n'a fait disparaître la publication manuscrite. Sa survie doit être comprise, en premier lieu, comme un effet durable de la dépréciation du texte imprimé et de l'attachement au livre copié à la main. [Même si] la nouvelle technique réduit drastiquement la durée et le coût de reproduction des textes.

Mais attention, si « la seconde moitié du XVe siècle a été pour le livre un temps d'hésitations et d'expériences, caractérisé par de multiples échanges entre les trois supports des textes hérités ou inventés […], seulement 5 % des imprimeurs en activité avant 1500 avaient été auparavant copistes de manuscrits ».

Chapitre III

Manifeste
pour un « journalisme augmenté »

1. Le journalisme augmenté de l'audience

Les médias sont sociaux, le journalisme est en réseau, l'information est collaborative et mutualisée. Les médias sociaux ont changé le journalisme : vers un nouveau journalisme social.

Le bon journalisme s'est toujours appuyé sur un réseau, son réseau.

Mais le réseau a désormais pris la parole et le public en sait plus que nous ! La prise de contrôle des moyens de production et de distribution des médias traditionnels par ceux qui en étaient privés (seule révolution marxiste réussie à ce jour !) entraîne la démocratisation de l'écriture et met fin au journalisme de surplomb, au journalisme de magistère. Elle permet aussi le *crowdsourcing* (collecte d'informations et témoignages sont partagés avec le public) et le *crowdfunding* (le financement aussi). Les médias parlent aux médias !

Nous sommes passés de la stupéfaction, en voyant le public s'emparer de nos outils pour pratiquer ce qu'on a trop facilement appelé du journalisme citoyen, à la résistance. Mais ne faisons pas comme le secteur de la musique ! Ne craignons pas notre public, qui n'entend pas prendre notre travail ou devenir journaliste professionnel. Notre métier n'est pas à somme nulle. Rappelons-nous que si chacun est désormais en mesure de prendre la parole, tout le monde ne le fera pas. Ils seront même très rares à le faire ! Le ratio est bien connu dans le monde du Web : 89 % des internautes sont passifs, 10 % participent et seulement 1 % produisent eux-mêmes.

La nouvelle participation ne va faire que l'enrichir. Visons une coopération intelligente.

Car non seulement le journaliste doit écouter son réseau, mais il lui faut désormais converser avec lui, le laisser s'exprimer, partager avec lui témoignages, réponses, éléments d'enquêtes.

En réalité, « les journalistes n'ont plus le choix : ou ils acceptent de fonctionner en réseau avec leurs audiences, ou ils vont disparaître », a résumé en 2009, à Paris, le Britannique Charlie Beckett, directeur du centre de recherche Polis sur le journalisme à la London School of Economics. « Ils vont devoir changer de manière fondamentale leurs pratiques s'ils veulent survivre. »

Les rédactions doivent désormais tenir compte des documents produits par le public –parfois en *breaking news* –, des commentaires, des expertises extérieures, des capacités de dialogue et de prolongation des conversations sur les sujets couverts.

Les médias traditionnels ne sont plus les seules fenêtres ouvertes sur le monde, ni même les seuls à pouvoir défier les politiques.

« Les journalistes sont toujours importants, mais l'agenda est désormais façonné par des dynamiques collectives et la rapidité de circulation de l'information […]. » Il n'est pas nouveau de voir le public participer à la couverture des événements (brutalités policières sur Rodney King il y a trente ans, émeutes de Seattle, dévastation due à l'ouragan Katrina, attentats de Londres…). Aujourd'hui, des volontaires participent à l'effort de collecte, voire à des couvertures sous des angles inédits, souvent moins objectifs (voir le Huffington Post). Demain, la désintermédiation va se poursuivre. Quelques grandes marques vont survivre, mais des milliers de petites marques vont se créer, et les journalistes vont de plus en plus travailler de manière indépendante, en formant de multiples relations avec de multiples éditeurs, estimait Woody Lewis, analyste en stratégie de médias sociaux sur le site Mashable en 2010.

Les nouveaux médias sociaux sont des médias dont les contenus sont tout ou partie produits, modifiés et distribués par leurs audiences.

Ce sont aussi dorénavant des lieux où, de plus en plus, les gens s'informent. Ce sont aussi des lieux d'inspiration pour des sujets et des couvertures. Il s'agit enfin d'outils qui permettent de bâtir des relations de confiance et de pertinence avec le public.

Les médias traditionnels réalisent aussi progressivement qu'ils fidéliseront d'autant plus leur audience que celle-ci aura participé à la production de l'information.

a) Compression du continuum de l'information

> Rien n'est plus vieux que le journal du matin.
>
> Jean Giraudoux

L'arrivée de l'audience dans le débat public se fait aujourd'hui beaucoup plus rapidement car les cycles de l'information se sont considérablement réduits.

« *News cycle* » : le temps qu'il faut entre une première information et le moment où elle sera publiée, connue par le grand public et suscitera des réactions.

Au temps des journaux : 48 heures (publication et réactions le lendemain).

Au temps de la télévision hertzienne : 24 heures (après les journaux du soir).

Au temps des chaînes TV d'infos en continu (CNN) : une demi-journée.

Au temps d'Internet : 15 à 20 minutes.

Au temps de Twitter : 2 minutes.

b) L'aide du public

Yochai Benkler, l'un des plus grands théoriciens d'Internet, éclaire un autre aspect du nouveau rôle actif du public pour s'informer en parlant de « lecture sceptique » (qui met en doute les croyances et les vérités admises). C'est pour lui « une forme d'investigation et d'enquête ».

Jusqu'ici, le public, même si sa défiance augmentait vis-à-vis des médias traditionnels, absorbait et acceptait les informations. Désormais, pour séparer le bon grain de l'ivraie sur le Web, la solution, c'est aussi la lecture sceptique. Donc un rôle important et plus actif du lecteur.

D'une manière encore plus directe, l'audience peut aider le journaliste dans ses enquêtes, via les réseaux sociaux : l'idée est d'obtenir des informations via un énorme essaim de gens, qu'on appelait autrefois l'audience.

Non seulement, dans son ensemble, le public en sait bien plus que vous, mais il peut aussi s'adresser à vous et vous aider. Le *New York Times* l'a bien compris, qui puise désormais dans les compétences de ses millions de lecteurs internautes. Un rubricard doit suivre mille comptes Twitter sur son secteur pour s'aider dans sa couverture !

« Nous sommes tous devenus des diffuseurs […]. Tout le monde a désormais une voix et une audience », résume Gary Vaynerchuk, auteur à succès de l'excellent ouvrage *Why Now Is the Time to Crush It!* et consultant en médias sociaux.

Collaboration, intelligence collective, *open source*, « *wisdom of the crowd* » (« sagesse du public »), intelligence en essaim font partie depuis longtemps de la vie quotidienne des informaticiens. Cet apport, difficile à mesurer, mais désormais indispensable – y compris pour accéder à la Maison-Blanche quand on voit son utilisation dans la campagne d'Obama –, gagne, aujourd'hui, grâce à Internet, l'industrie des contenus, au-delà même de la création par le public du fameux « UGC » (« *user generated content* », contenu produit par le public).

Les événements de la rue en Iran, après les élections, et le tremblement de terre en Haïti ont démontré la nécessité et l'efficacité du modèle hybride dans le processus de collecte d'informations sous un mode de *crowdsourcing*, de collaboration des professionnels avec les amateurs (*pro-am*). Et aujourd'hui, avec les smartphones, le *crowd-sourcing* devient mobile.

Longtemps cantonné au courrier des lecteurs, et plus récemment aux lettres aux médiateurs, le dialogue de la rédaction avec son audience est désormais non seulement inévitable, mais extrêmement riche, même si parfois il peut s'avérer désagréable. Mais il faut aller plus loin et viser l'action collective.

Nouvelle ressource du journalisme, elle est tout simplement plus facile, grâce au partage et à la collaboration. Il faut donc faire davantage confiance aux *pro-am*, aux amateurs éclairés. Lâcher un peu de contrôle, pour gagner beaucoup plus… D'ailleurs, la guerre des journalistes contre les blogueurs qui sévissaient un peu après le milieu des années 2000 est heureusement derrière nous.

Cette collaboration se traduira par la participation directe de l'audience, son interaction, son aide dans la personnalisation, la présentation et la sélection de l'information.

L'interactivité est aujourd'hui indispensable pour créer des communautés d'intérêt autour des contenus d'informations, pour susciter des réactions et prendre le pouls de l'opinion.

Pourquoi les gens participent et partagent ? Parce qu'ils aiment ça ! Les gens aiment jouer un rôle dans quelque chose de plus important qu'eux-mêmes et partager des informations uniques et récentes. Travailler ensemble pour informer, c'est coproduire un bien public.

Selon IBM, 15 % du temps consacré à la télévision le sera, sous peu, pour des contenus produits par le public, et 25 % du temps dévolu à l'ordinateur.

c) Appel à la contribution du public pour le témoignage et l'enquête, la vérification d'information

C'est un site sud-coréen, OhmyNews, qui, en 2000, a été le pionnier du « journalisme citoyen », avec rapidement plus de quarante mille contributeurs, aidés de soixante-cinq journalistes.

De nombreux médias classiques ont lancé depuis des unités éditoriales d'accueil de témoignages du public, qu'il faut gérer. La BBC et CNN (via le site iReport) ont été les premiers, en 2006, à proposer à leurs audiences des outils pour participer. Depuis, de nombreux médias ont suivi, tels CBS, France 24, Reuters ou l'AFP via sa filiale Citizenside. Mais souvent le public préfère poster ses photos et vidéos sur des sites de partage comme Flickr ou YouTube, ou sur Twitter et Facebook, plutôt que de les offrir à un média traditionnel.

« La manière dont CNN couvre l'actualité est aujourd'hui fondamentalement différente d'il y a quatre ans [...] et, désormais, dans certaines situations, on ne peut plus travailler sans les médias sociaux, comme récemment en Haïti ou en Iran », souligne Lila King, *senior producer* de iReport, de CNN. CNN, qui parle de « *participatory storytelling* » (« narration participative ») et organise désormais tous les mois des formations pour familiariser ses journalistes à la collaboration avec l'audience.

Le patron de BBC News, Peter Horrocks, a exhorté en février 2010 ses journalistes à utiliser les réseaux sociaux ou… à quitter la maison. « Ce n'est pas quelque chose pour ceux qui aiment la technologie. C'est tout simplement obligatoire. »

Au printemps 2008, les manifestations de masse dans les rues de Séoul ont montré la puissance du témoignage citoyen. Les manifestants, équipés de leurs téléphones portables, retransmettaient en direct ce qu'ils voyaient sur des sites communautaires. Le *live broadcasting*, via notamment le service Afreeca, a montré un vrai potentiel.

Facebook est né en 2004, Twitter en 2006. Aujourd'hui, pratiquement toutes les rédactions s'en servent massivement. D'abord comme moyens de distribution, mais également d'acquisition d'informations. Ils modifient la perception pour les journalistes du rôle de la source.

Sur l'Iran en 2009, le *New York Times* a beaucoup utilisé son blog The Lede, avec du *live blogging*, un *news desk* 24/7, le recours à Twitter, à des clips de YouTube et aux agences de presse, raconte l'un de ses reporters, Robert McKey, ancien *fact checker* (vérificateur d'informations) de profession et qui exhorte à un « état d'esprit sceptique ».

Récemment, le site du *Boston Globe* a lancé un appel à la contribution du public pour la couverture de la Coupe du Monde de football en Afrique du Sud. Ce fut aussi le cas pour l'enquête du *Guardian* sur les notes de frais des députés britanniques.

Pour des faits divers aussi : une fusillade, suivie d'une chasse à l'homme dans l'État de Washington, a été essentiellement couverte fin 2009 via des *tweets*, l'outil de coopération en ligne depuis disparu Google Wave et des témoignages du public, souligne Monica Guzman, du premier quotidien américain passé en *Web only*, le Seattlepi. com (douze reporters, un photographe, trois producteurs).

> Toute la ville a coopéré, même le directeur de l'information de notre concurrent du *Seattle Times* twittait [...]. Nous ne prenons jamais un *tweet* pour une info fiable. Nous vérifions, au besoin en allant sur place, et nous n'avons corrigé en tout qu'un seul *tweet* [...]. Rumeurs et fausses infos sont aussi très vite repérées et corrigées par les autres.

Tout comme sur l'encyclopédie en ligne Wikipédia, qui « ne doit pas être une source mais un point de départ », explique Moka Pantages, de la fondation Wikimedia (trente-quatre personnes pour cent mille contributeurs !) en prenant pour exemple les attaques à Bombay, fin 2008 : un volontaire de l'encyclopédie en ligne a publié le scoop.

> Depuis, 1 245 personnes ont contribué à l'article, qui a été édité quatre mille fois et est devenu riche de quarante-trois mille mots [...]. Plus un article est édité, plus il est long, plus il est fiable.

« Le Web est un four autonettoyant », reconnaît David Carr, le rubricard médias du *New York Times*[1].

Il existe aussi des plates-formes d'information et de blogs, comme Topix, qui demandent directement au public de couvrir des événements que les journalistes ne couvrent pas ou pas assez.

Le blog politique progressiste américain Daily Kos et ses trente mille contributeurs, aujourd'hui dans le top 3 des sites d'info américains, bat régulièrement le *New York Times* et les *networks*. « Nous

---

1. Voir http://www.nytimes.com/ref/business/bio-carr.html.

pouvons faire tout ce qu'ils font en utilisant le public », assure, péremptoire, son fondateur Markos Moulitsas. Attention, toutefois : sur leurs passions, les gens écrivent facilement et gratuitement ! Méfions-nous donc des passions dans l'information ! Et tentons de toujours savoir qui parle.

d) L'exemple collaboratif du tremblement de terre en Haïti

Comme l'a dit le site ReadWriteWeb, le tremblement de terre de Port-au-Prince, en janvier 2010, a fait passer l'humanitaire au numérique !

Véritable QG d'informations sur la catastrophe, le site collaboratif Ushahidi, d'origine africaine, a très vite proposé une page spéciale agrégeant de multiples fonctions (informations, aides, incidents, dons, cartes géographiques, zones de soins, flux de population...), alimentée par le Web et les téléphones mobiles en plusieurs langues [1]. Il travaille avec l'ONU et de nombreuses autres organisations humanitaires et technologiques.

La page Global Disaster Relief sur Facebook [2] a eu en quelques jours près de cent mille fans, celle sur le seisme, Hearthquake Haiti [3], plus de deux cent trente mille membres, et celle de l'aide, plus de cent huit mille [4].

Google a mis à la disposition son service GeoEye d'images satellites [5], une page pour venir en aide aux victimes [6], et une autre pour retrouver des gens [7]. Global Voices a aussi agrégé des flux d'informa-

1. Voir http://haiti.ushahidi.com.
2. Voir http://www.facebook.com/DisasterRelief ?ref=blog.
3. Http://www.facebook.com/search/?q=haiti+earthquake&init=quick%23 % 2Fgroup.php%3Fgid=252988675717&ref=search&sid=500099119.842650351..1.
4. Voir http://www.facebook.com/group.php ?gid=260272509040&ref=search& sid=638814052.842650351..1.
5. Voir http://www.informationweek.com/news/security/cybercrime/showArticle. jhtml?articleID=222301030.
6. Voir http://www.google.com/intl/fr/relief/haitiearthquake.
7. Voir http://haiticrisis.appspot.com/?lang=fr&small=yes.

tions (textes, *tweets*, photos, témoignages...) en plusieurs langues[1]. Le site Dipity a proposé une frise chronologique[2], des informations (y compris des vidéos), et Wikipédia a tenté d'informer des dernières évolutions en offrant une multitude de liens réactualisés[3].

Les ONG utilisent d'ailleurs désormais très rapidement les réseaux sociaux comme, en Haïti, Oxfam avec YouTube, l'Unicef avec Twitter[4], l'UNDP avec Flickr[5], ou la Croix-Rouge[6]. Apple a également mis à la disposition son service iTunes. On l'a déjà dit, à cette occasion, Flickr proposait déjà cinq mille clichés du drame avant même l'arrivée sur place des photographes envoyés spéciaux des grands médias.

Mais les médias classiques ne furent pas en reste : leurs sites ont notamment été à l'origine d'un trafic considérable vers les sites de dons pour les victimes. Des journaux ou des télévisions ont créé des listes de flux Twitter sur la catastrophe, comme le *Los Angeles Times*, NPR[7], le *New York Times*[8] ou CNN, qui a recensé près de soixante-dix flux, et qui a proposé une page Web spéciale[9], à l'instar du *Miami Herald*[10].

Comme souvent, l'équipe d'infographies animées et interactives du *New York Times* a réalisé des documents de qualité : l'étendue des dégâts[11], une carte avant et après le séisme[12], un diaporama[13].

---

1. Voir http://globalvoicesonline.org/2010/01/13/in-aftermath-of-earthquake-eyewit ness-tweets-from-haiti.
2. Voir http://www.dipity.com/timeline/Haiti-Earthquake.
3. Voir http://en.wikipedia.org/wiki/2010_Haiti_earthquake.
4. Voir http://twitter.com/UNICEF.
5. Voir http://www.flickr.com/photos/37913760@N03/sets/72157623209524550.
6. Voir http://twitter.com/redcross.
7. Voir http://twitter.com/nprnews/haiti-earthquake.
8. Voir http://twitter.com/nytimes/haiti-earthquake.
9. Voir http://edition.cnn.com/2010/TECH/01/14/haiti.web.personal.stories/index.html.
10. Voir http://www.miamiherald.com/haiti.
11. Voir http://www.nytimes.com/interactive/2010/01/13/world/20100113-haiti-close-ups.html.
12. Voir http://www.nytimes.com/interactive/2010/01/14/world/20100114-haiti-ima gery.html.
13. Voir http://www.nytimes.com/slideshow/2010/01/13/world/20100113-HAITIQUA KE_index.html.

Le site Big Picture du *Boston Globe* a aussi donné en très haute résolution les photos des grandes agences de presse et des reporters du groupe *New York Times*. Le *Los Angeles Times* a produit une application Flash expliquant les tremblements de terre[1].

e) Journalisme collectif : l'aide du public n'est pas limitée aux breaking news

Pour Andrew Fitzgerald, responsable de la partie « Journalisme collectif » de Current, le média américain créé par Al Gore sur le Web et la télévision par câble, la contribution du public au travail d'information et de journalisme des médias traditionnels ne se limitera pas aux *breaking news*. Elle va être de plus en plus, selon lui, une aide précieuse à la collecte, à l'enquête et à l'expertise sur de nombreux sujets.

Le tiers des contenus des plates-formes médias de Current est aujourd'hui produit par le public. Au début, Current n'accueillait que des vidéos. Aujourd'hui, les contributions sont également bienvenues sous forme de photos, de textes, de blogs.

f) Community management

Un nouveau métier est apparu dans les rédactions : le *community manager*, chargé de développer l'engagement avec l'audience. *USA Today* s'est doté d'un *networked editor* pour gérer l'interaction du public sur le site via les commentaires, les blogs, les liens vers les réseaux sociaux.

Il faut donc gérer l'apport des témoignages du public et les vérifier. Certains préfèrent délocaliser ou sous-traiter cette fonction, d'autres y voient une valeur ajoutée.

Des grands médias ouvrent aussi des sites de débats lors d'événements spéciaux (élections, Jeux olympiques, Mondial de foot...).

---

1. Voir http://www.latimes.com/news/local/la-me-quakeprimer-fl, 0,410617.flash.

g) Attention, public actif en direct !

Phénomène nouveau d'interaction : l'interview en public du fondateur de Facebook, Mark Zuckerberg, a récemment très mal tourné pour la journaliste de *BusinessWeek*, en raison de réactions hostiles d'internautes pendant l'interview, tous connectés par IM ou via Twitter, et après (sur des dizaines de blogs). Ils n'étaient pas satisfaits des questions trop orientées écologie, voire « people », et pas assez « tech » !

De même, les grands entretiens en direct (par exemple, avec le président de la République) font l'objet sur les réseaux sociaux, surtout Twitter, de commentaires qui portent autant sur le fond que sur la forme (la qualité du journaliste).

h) Reportages à la demande : l'audience rédactrice en chef et aide financière du public

Le mécénat populaire est en train de se développer aux États-Unis, avec notamment des initiatives éditoriales comme Spot.us, où les articles et enquêtes font l'objet d'un devis, sont retenus, préfinancés et lancés par le public qui peut aussi les initier. Rue89 (Jaimelinfo.com) et Glifpix en France suivent ce chemin. Dans ce cas, le public initie, voire commande directement des articles, reportages, enquêtes, à une rédaction professionnelle.

Le site Spot.us, fondé en 2008 et financé par la Knight Foundation, fait le choix de répartir le coût de la rédaction auprès du public appelé à choisir tel ou tel reportage et à participer à son financement. C'est David Cohn, le fondateur, qui détermine avec les reporters les angles et les sommes nécessaires (jusqu'à 10 000 dollars par sujet) :

> Ce n'est plus réservé aux éditeurs : le public aussi peut avoir un budget de pigistes ! Nous ne remplaçons pas les journaux, mais permettons au public de jouer un rôle dans la couverture de l'actualité et d'être en prise avec les journalistes. Trop souvent persiste une vraie déconnexion entre le public et les journalistes dans la perception et l'importance d'un sujet.

Spot.us, actif à San Francisco et à Los Angeles, a déjà vendu des enquêtes au *New York Times*, et cherche à s'agrandir, mais ce n'est pas encore rentable. Ses pigistes sont des localiers, des reporters pigistes et parfois des prix Pulitzer !

Enfin, comme le conseille aux journalistes professionnels le professeur Jay Rosen, déjà cité :

> Transformez vos lecteurs, auditeurs, téléspectateurs en usagers ! Faites en sorte que le public utilise votre travail, les informations, analyses, images, sons, etc., que vous produisez.

La situation va se compliquer – ou s'enrichir ! – avec le basculement massif du centre de gravité mondial vers l'Inde et la Chine, qui a détrôné en 2008 les USA par le nombre de connexions Internet. Ces formidables réservoirs d'intelligence et de créativité vont changer la donne, imposer leurs propres standards et leurs visions du monde, à partir de leur marché local. Certains sites britanniques, comme celui du *Guardian*, ont d'ailleurs plus de lecteurs en dehors de leurs frontières nationales. Les nouveaux marchés de l'information en pleine expansion se situent aussi au Moyen-Orient, en Turquie et au Brésil.

Enfin, le journalisme n'est pas le seul secteur à être plus perméable au reste de la société : les universités ouvrent leurs amphithéâtres, les scientifiques et les entreprises partagent de plus en plus leurs savoirs.

2. LE JOURNALISME AUGMENTÉ DE SES PAIRS

a) L'ouverture, c'est un intérêt personnel partagé !

La plupart des médias traditionnels sont souvent trop fiers pour intégrer le travail des autres, qu'ils soient professionnels ou amateurs, et n'aiment pas trop voir leurs contenus se promener un peu partout sans contrôle.

Mais, dans le paysage actuel, la pire chose à faire est de rester seul. Or la technologie permet ainsi aux journalistes de facilement collaborer entre eux.

La valeur ne sera plus nécessairement cantonnée dans le contenu, mais dans la capacité du journalisme à connecter les gens et les contenus (personnalisation, désagrégation-réagrégation, compilation).

L'heure est donc à l'ouverture et à l'intégration de contenus tiers, parfois concurrents, professionnels ou non. Un site Web d'information n'est plus un point d'arrivée, mais un point de passage.

L'action collective est désormais tout simplement plus facile, grâce à la collaboration et au partage. Ces coopérations et partenariats constituent l'un des mouvements de fonds de la société le plus important aujourd'hui.

Lâcher prise sur ses contenus rédactionnels et laisser les contenus extérieurs entrer : les rédactions, souvent conservatrices, se comportent de moins en moins comme des bunkers et s'ouvrent davantage au reste du monde, voire à leurs concurrents. Les collaborations entre médias se multiplient. Le journalisme en réseau et le journalisme mutualisé ont un bel avenir.

Certains médias, comme le *Guardian*, se préoccupent aujourd'hui beaucoup moins d'attirer les internautes sur leurs propres sites. Ils multiplient les occasions de leur faire rencontrer leurs contenus ailleurs, en les disséminant partout où c'est possible (YouTube, Google, Facebook, Twitter…), et concluent des partenariats de distribution.

Le site du *New York Times* a commencé à publier en 2009 une *« home page alternative »*, qui, en bas de chaque grand article du journal, propose d'enrichir ses informations par des liens vers d'autres articles du Web, dont ceux de ses propres concurrents, comme le *Washington Post*, s'ils sont pertinents dans le contexte.

b) *Collaboration entre médias*

Cette nouvelle possibilité de coopération est favorisée par la crise qui secoue le secteur et pousse les grands médias à coopérer, notamment pour partager ou mutualiser des ressources. Pour sa couverture internationale, la chaîne américaine ABC News installe des reporters multimédias (staff et *stringers*) dans certaines zones (New Delhi, Bombay, Séoul, Djakarta, Rio, Dubai et Nairobi), où ils s'appuieront sur les infrastructures d'autres médias internationaux comme la BBC, APTN, NHK, ARD.

De très nombreuses coopérations se développent entre médias traditionnels de différents supports, entre médias et *pure players*, mais aussi entre réseaux sociaux et moteurs de recherche.

Des unités de coopération internationale voient le jour, comme le Consortium international des journalistes d'investigation (Icij) : plus de cent membres dans cinquante pays travaillent en petits groupes de trois à vingt journalistes sur des enquêtes au long cours via un réseau connecté.

Les exemples de coopération entre médias traditionnels se multiplient.

En vrac, le quotidien suisse *NZZ* travaille avec l'allemand *FAZ*. En Suisse, *NZZ* coopère aussi avec *Le Temps*. Ce dernier a des accords de contenus et de publicité avec *Le Monde* (France) et *Le Soir* (Belgique). Le *Washington Post* s'allie à Bloomberg pour proposer un service commun en ligne. Bloomberg propose le fil d'informations eNews en temps réel du *NYT*. Getty Images s'allie avec Bloomberg dans la photo, CBS et *Sports Illustrated* s'échangent des contenus, tout comme l'américain *New York Daily News* et le britannique *Evening Standard*.

Fin novembre 2010, cinq journaux et magazines américains et européens ont préparé ensemble la gestion de la fuite par WikiLeaks des télégrammes diplomatiques du département d'État américain : *The New York Times* aux États-Unis[1], *The Guardian* en Grande-Bretagne[2], *Der Spiegel* en Allemagne[3], *Le Monde* en France, *El País*

1. Voir http://www.lemonde.fr/sujet/66d4/york-times.html.
2. Voir http://www.lemonde.fr/sujet/cf6e/the-guardian.html.
3. Voir http://www.lemonde.fr/sujet/0ae7/der-spiegel.html.

en Espagne. « Cent vingt journalistes de cinq pays ont étudié les télégrammes, partagé informations et expertises. Ils ont aussi décidé des sujets qu'ils ne traiteraient pas, parce que les sources citées ne leur paraissaient pas suffisamment fiables. Une telle coopération entre cinq médias est sans précédent de mémoire de journaliste », écrivait alors *Le Monde*.

c) Coopération entre anciens et nouveaux médias

En 2010, pour l'une de ses enquêtes sur les groupes pharmaceutiques, le site américain d'investigation Pro Publica s'est associé avec pas moins de cinq médias traditionnels : NPR, le *Chicago Tribune*, le *Boston Globe*, PBS et *Consumer Reports*.

Le *New York Times* sous-traite certaines enquêtes à Pro Publica, site à but non lucratif financé par des fondations, et achète des articles au site communautaire Spot.us, lesquels sont commandés par le public.

De même, quand l'ONG apatride WikiLeaks décide de publier des centaines de milliers de documents militaires américains classifiés et liés aux conflits en Afghanistan et en Irak, elle le fait en coopération avec des grands médias de confiance (*The Guardian*, *Der Spiegel*, le *New York Times*, *Le Monde*) qui ont eu du temps (plusieurs semaines de *data mining*) pour fournir de vraies valeurs ajoutées : vérifications, contexte, analyses, distribution.

De nombreux journaux locaux américains s'associent avec des blogs locaux pour couvrir leurs communautés. C'est le cas de titres du premier groupe de presse Gannett (comme Journal-News près de New York), des journaux de Seattle ou de quotidiens en Arizona. Le journal Pioneer Press délègue son système de « story streaming » à Posterous. CBS s'associe à l'agence de presse « low cost » GlobalPost pour sa couverture internationale.

Et Comme de nombreux autres médias, la britannique Channel 4 (UK) s'associe à YouTube.

d) Suprarédaction en ligne

Alice Antheaume, professeur à l'école de journalisme de Sciences-Po, parle d'une « suprarédaction » qui s'est formée sur le Web français.

> Un corps de journalistes et experts du Web qui, au-delà du titre qui les emploie – ou du site pour lequel ils produisent des contenus –, travaillent parfois de concert sur le même sujet. Et communiquent les uns avec les autres. Comme s'ils étaient dans la même rédaction. De l'extérieur, le processus est quasi invisible. Cette construction de l'information en temps réel, en ligne, et en commun, s'est installée sans avoir été ni planifiée, ni orchestrée. En commun ? Mais à combien ? Difficile de déterminer le nombre exact de membres de cette salle de rédaction virtuelle, disons une petite cinquantaine, travaillant ou sur des sites d'informations généralistes, ou des blogs, ou des sites locaux et régionaux, ou spécialisés.

e) Coopération avec les ONG

Aujourd'hui, de plus en plus de photojournalistes, dans un secteur très touché par la crise de la presse, travaillent avec des ONG pour faire cofinancer leur travail. Avec pour conséquence de rendre de plus en plus floues les frontières entre médias et ONG. Car avec le rétrécissement des budgets photos des médias traditionnels (hors agences de presse), les photojournalistes free lance (pigistes) ont dû trouver des sources alternatives de revenus pour financer leurs déplacements et leurs enquêtes. Certains acceptent même un financement direct d'organisations à but non lucratif – type foundation Bill Gates – pour se déplacer, par exemple, en Afrique et en profitent pour réaliser un reportage qu'ils vendront par ailleurs à de grands médias. Leur statut de free lance ne leur interdit pas ce type de fonctionnement, qui peut approcher de près ou de loin le conflit d'intérêts.

D'ailleurs la Gates Foundation finance aussi parfois directement des émissions de télévision aux États-Unis (PBS) sur les problèmes sanitaires mondiaux. Le *Guardian* a aussi passé un accord avec elle pour un site web sur le développement.

f) Coopération avec le monde universitaire

De plus en plus de médias traditionnels aux États-Unis s'associent avec des écoles de journalistes et des universités pour monter des projets : blog du *New York Times* et de la New York University sur l'East Village, blog de la Columbia University et du *New York Times* sur Brooklyn, unité d'investigation, etc.

L'intérêt, outre évidemment de recourir à une main-d'œuvre bon marché, est de profiter des nouveaux usages des jeunes, décisifs dans la bataille pour la survie des médias.

3. LE JOURNALISME AUGMENTÉ DES LIENS

a) Le journalisme, c'est avant tout du lien !

Du lien pour être en phase avec la société, pour y être relié, connecté, pour échanger, avoir une conversation, fonctionner en réseau, et non plus pour dispenser son savoir d'en haut. C'est bien la fin de la diffusion, du broadcast, du *top-down*, du « nous parlons, vous écoutez » ! La fin du journalisme en surplomb ! Vive l'humilité !

De nouveaux outils techniques favorisent ces liens. Les métadonnées et l'hypertexte permettent d'enrichir les contenus et font émerger le journalisme de liens, le journalisme de tri sélectif, le journalisme dépollueur, le « news-jockey » ! Celui qui choisit pour les autres, distille, guide, réduit l'infobésité, trouve le signal dans le bruit.

Les journalistes et les médias ont toujours exercé cette fonction de tri, de choix et de sélection, d'exposition (en anglais, « *curation* »). Le *Monde*, *L'Express* et tous les autres ont eu pendant des décennies la confiance de leurs lecteurs pour ce qu'ils choisissaient d'exposer en une et dans leurs pages.

Mais aujourd'hui tout le monde peut le faire et sur une tout autre dimension, grâce à l'Internet.

b) Un rôle majeur de filtre

Le défi est donc de retrouver cette confiance pour laisser aux journalistes le soin de nous guider, cette fois, sur le Web, et de nous orienter vers les meilleurs articles et contenus d'informations. Ils nous feront ainsi gagner notamment du temps.

Le journaliste peut agir, non plus seulement comme un producteur d'informations, mais aussi, et de plus en plus, comme un filtre d'informations, un « manager » de ses propres informations sur d'autres supports, mais aussi des informations des autres, un guide dans le brouhaha du Web. Il pointe vers des sujets qu'il choisit d'exposer (ou de surexposer). Il peut aussi choisir de masquer ou de plonger dans l'obscurité un autre. Le public lui fait confiance pour ses choix, ses recommandations qui lui feront font gagner du temps.

« News curator », disent aujourd'hui les Américains pour décrire cette nouvelle mission, qui prend de plus en plus d'importance, et voit les journalistes assumer un nouveau rôle d'accompagnateur du public dans l'univers chaotique du Web. « News curator » : difficile à traduire ! C'est littéralement, le « conservateur » d'un musée. Celui qui fait le tri entre l'art et le reste, qui choisit les toiles qu'il entend exposer. Et donc ici les informations, les liens. Des choix assumés et faits par des éditeurs, et non par les algorithmes des moteurs de recherche.

Ce journalisme démontre son propos en fournissant des preuves par des liens sur le Web, et remplace le « journalisme d'affirmation ». En désignant, comme le fait le New York Times, les meilleurs liens intérieurs et extérieurs relatifs à un article, vous rendez service. Et vous encouragez les lecteurs à revenir !

c) Une fonction de guide : « news-jockey », vérificateur, authentificateur, accompagnateur, contextualisateur

C'est un travail de contextualisation de l'information. Un point de distribution et d'enrichissement des contenus, par une ouverture encore plus grande au reste du monde. Il s'agit bien d'un point de vue assumé, d'un tri, d'un choix, d'une vision du monde. Nous restons bien dans le métier de journaliste.

Les journalistes ayant accès à plus d'informations, cette médiation permettra au public d'avoir accès à des choses différentes et qu'il ignorait.

Reste encore à convaincre le public de l'utilité de cette nouvelle médiation.

Les jeunes, selon l'étude d'AP de 2008, sont désorientés face à l'offre d'informations.

Les journalistes aujourd'hui peuvent les aider à distinguer le vrai du faux (l'étude montre que les jeunes ont tendance, par dépit, à se tourner vers de « fausses informations », et surtout vers des parodies d'informations), à trouver le chemin vers le contexte et la profondeur pour donner du sens à l'actualité, et dans cette nouvelle fonction de carrefour de liens, de plaque tournante, de « hub » d'informations.

Le média devient un guide, dont les recommandations sont visibles dans le choix de ses liens, de ses assemblages et de ses contenus extérieurs.

C'est loin d'être naturel pour les journalistes de partager leurs sources, mais, on le sait maintenant, l'époque est au réseau, au partage, à l'ouverture, en deux mots… à l'*open source*! C'est exactement comme cela que Google fonctionne. Les journalistes qui pratiquent le journalisme de liens de manière isolée peuvent avoir une influence modérée sur le Web, mais en réseau leur influence sera très importante. Plus le réseau est vaste, plus il est puissant. Le pouvoir de recommandation est ainsi vaste et convoité.

Le *New York Times* propose ainsi une section « Ce que nous lisons » faite par ses journalistes.

d) Journalisme de tri sélectif. Filtre et curation :
le journalisme de liens

L'autre problème est aussi de trouver l'information. Le Web 2.0 a accru la complexité d'usage pour le public. Et, face à l'explosion de contenus, il est de plus en plus difficile de savoir ce qui est pertinent. Face à la tyrannie du trop-plein d'informations, d'une vraie pollution de données non pertinentes sur Internet, il est plus utile que jamais de jouer un vrai rôle de filtre et de guide.

Les moteurs de recherche ayant modifié notre manière de consommer des informations, ils ont pris du temps d'attention aux lecteurs de journaux. Mais, jadis spectateurs passifs, nous sommes devenus des acteurs actifs pour aller à la recherche des multitudes de ressources du Web. On ne se contente plus de rechercher ce que CNN, Yahoo ! ou le *New York Times* ont à dire sur le sujet, on recherche d'autres angles, d'autres avis.

Le rôle du journaliste sera d'amener l'internaute au contenu pertinent. De l'aider, de l'assister, de montrer, de pointer et d'exposer. Rapidement et/ou en profondeur.

Le journaliste de liens, c'est un journaliste dépollueur, un écologiste de l'information.

Mais, dans cette période de production quasi industrielle et indifférenciée de contenus (voir les usines à contenus Content Media, AOL Seed, Gawker...), la valeur se trouve aussi de plus en plus dans le tri, le choix assumé. Beaucoup de sites ont choisi ce créneau : Kottke, A List Apart, OpenTopic, Thrillist pour le *lifestyle*, My Inspiration Lounge pour les femmes, Pictory pour la photo, ou toujours le Daily Dish d'Andrew Sullivan, via le magazine *The Atlantic*.

Tri, sélection, validation, sens : « Les grandes marques de médias restent importantes comme filtres de confiance, des référents dans lesquels on a confiance », renchérit Pete Cashmore, qui dirige le site sur les nouveaux médias Mashable. Pour lui, « les gens doivent être plus éduqués sur l'origine des informations : apprendre à savoir à qui faire confiance », dans les anciens comme dans les nouveaux médias. « L'avantage des blogs, c'est qu'ils donnent leurs sources avec des liens […]. Il faut donc avoir un bon détecteur d'âneries ».

e) Le journalisme ordonnateur du chaos

« TMI », « *too much informations* », trop d'informations : une grande partie de l'enjeu sera aussi d'assumer demain une mission de tri parmi le trop-plein d'informations. Si nous sommes parvenus à plutôt bien filtrer le spam et les mauvais contenus, nous restons peu performants pour filtrer efficacement les bons contenus, très abondants. Il sera aussi très utile de pouvoir aider à répondre à la question cruciale : où dois-je aller pour trouver ce que je cherche ?

f) Mais, attention, d'autres filtres efficaces se développent aujourd'hui

Nos amis dans Facebook, nos comptes Twitter, les listes des articles ou billets « les plus envoyés » ou « les plus commentés », la personnalisation (lorsque nous avons fait le choix précis de contenus que nous sommes prêts à recevoir) : l'analyse de nos données (laquelle sera chaque jour plus pertinente dans la sélection de contenus à nous envoyer) permet par des algorithmes de diffuser une information plus proche de nos goûts et centres d'intérêt, donc plus personnalisée.

4. LE JOURNALISME AUGMENTÉ DES AUTRES CORPS DE MÉTIERS

a) Collaboration obligée entre métiers sur le Web, médias convergents

En quelques années, le public a changé ses habitudes et s'est familiarisé avec d'autres formats d'information que l'article ou le journal télévisé. De nouvelles technologies de collecte, de traitement et de diffusion de l'information ont créé deq nouveaux formats de journalisme : blog, podcast, Web TV, webdocumentaire, journalisme de données, Web magazine, diaporama, portfolio, infographie animée, vidéographie, visualisation de données, journalisme visuel, Web reportage, etc.

Autant de nouvelles formes de narration, de récits multimédias qui associent le travail de métiers très différents.

Tout le défi des médias, qui ont déjà du mal à associer rédacteurs, photographes et reporters d'images, va être désormais de faire travailler ensemble designers, développeurs, informaticiens, statisticiens, économistes, directeurs artistiques, architectes de l'information et… journalistes.

Ceux qui réussiront à faire travailler ensemble tous ces corps de métiers prendront de l'avance. Pour l'instant, ce type d'équipe plurielle n'existe pas dans les médias traditionnels français. Or, ces contenus, même s'ils sont plus chers à produire, sont aussi à plus forte valeur ajoutée.

D'une manière générale, les journalistes du Web, les éditeurs multimédias ont leur propre narration avec leurs nouveaux outils et combattent l'idée encore trop répandue qu'ils ne viennent qu'en soutien du reste de la rédaction traditionnelle, en bonus de papiers écrits par d'autres.

b) Collaboration avec d'autres secteurs

Vieille de soixante-trois ans, l'association américaine des journalistes qui couvrent le secteur de l'éducation (EWA) a ainsi décidé en 2010 de faire un virage à 180 degrés pour s'ouvrir à tous les gens concernés par ce sujet et ne plus rester dans une communauté fermée. Il y va de la survie de la profession, a estimé l'EWA au terme d'une étude auprès de ses membres.

5. LE JOURNALISME AUGMENTÉ D'INNOVATIONS
ET DE NOUVELLES TECHNOLOGIES

a) Une nouvelle narration numérique

Des contenus d'informations Web sont constitués désormais de pages de textes, de photos, vidéos, graphiques, pérennes, remis à jour régulièrement, vivants, interactifs, qui remplacent des formats figés (journal radio ou télé) et des textes superposés les uns sur les autres.

Une automobile n'a jamais été une calèche sans chevaux. Un site Web de médias proposant du journalisme n'est évidemment pas un quotidien ou une chaîne de télévision mis en ligne. Chacun voit bien qu'Internet offre cent fois plus de possibilités qu'une page imprimée.

Une écriture différente, plus agile, est indispensable pour être en prise avec les nouveaux usages de la révolution de l'information. La chance est aussi d'y pouvoir profiter de nouveaux outils. Pour ce mode de représentation du réel, le *digital storytelling* de demain, la narration et le récit numériques comprennent déjà, en plus du texte, de la photo, de la vidéo et des graphiques, de nouvelles applications comme la géolocalisation, la cartographie animée, la réalité augmentée, la 3D, etc.

b) La nécessité d'un journalisme d'innovation

Les rédactions sont des lieux riches de traditions internes, mais, dans l'ensemble, elles sont assez conservatrices. L'innovation et le changement n'y sont pas nécessairement encouragés, ni bien acceptés ; l'ouverture aux partenariats extérieurs est rarement bien reçue.

Mais, désormais confrontés à de tels chamboulements dans les usages du public et des technologies, les journalistes ne peuvent plus faire comme avant et continuer comme si de rien n'était. Le Web, Internet, le numérique en général devient le support prioritaire de publication, avec ses règles, ses contraintes, mais aussi de formidables opportunités. L'innovation doit être aujourd'hui au cœur de la transformation des rédactions. Cette innovation vient de l'extérieur, mais elle arrive parfois aussi vite au sein même des grands médias, quand ceux-ci multiplient, quand ils en ont les moyens, les acquisitions de sociétés technologiques.

En raison de la fameuse convergence sur un support unique qu'est devenu le Web, les journaux et les magazines doivent, dans un premier temps, apprendre le son et la vidéo, devenir des radios et des télévisions, pour se transformer en entreprises multimédias « 24/7 ». On y parle désormais plus « chaînes » que « rubriques ». Les télévisions découvrent, quant à elles, les joies de l'écriture d'articles publiés. Autant de montagnes à gravir pour des organisations peu réputées pour leur capacité à se réinventer.

Puis, il est nécessaire de créer, produire et distribuer des contenus informatifs purement Web, adaptés à cette nouvelle plate-forme, aux nouvelles attentes des internautes et à leur nouvelle manière de s'informer.

c) Essor du journalisme visuel : l'image avant le texte.
« Voir, c'est croire ! »

Le Web amplifie un phénomène déjà bien amorcé par la télévision : le rôle grandissant donné à l'image et au visuel pour communiquer et faire passer l'information.

En bref, dans les médias, jusqu'ici, les photos ou les vidéos servaient d'abord à illustrer un texte. Même à la télévision, le « papier » restait au cœur du travail du journaliste, pour raconter son « histoire ».

Demain, le texte viendra en second, et seulement pour accompagner les images, qui auront la valeur d'une information à part entière.

Le journalisme visuel est multimédia, interactif et utilise donc une forme de récit non narrative, une nouvelle écriture, qui ne passe pas nécessairement par les mots et la parole.

154

d) Les webdocumentaires

Un nouveau format journalistique se développe : le webdocumentaire, savant mélange d'un récit « Web natif » non linéaire qui utilise toute la palette *rich media* des outils disponibles – textes, photos, vidéos, jeux vidéo, applications graphiques fixes et animées, interactivité – autour d'un sujet de reportage.

Ce type de document, surtout s'il est consommé sur des tablettes, va favoriser le *slow journalism*, le format long, un travail d'auteur, un point de vue, les entretiens fouillés, une narration nouvelle, riche, multimédia, interactive, souvent ludique, parfois des enquêtes captivantes et informatives, et souvent un point de vue.

Des modules du programme sont partagés via les réseaux sociaux et par courrier électronique. Très souvent, l'internaute est au cœur du récit.

« Le webdocumentaire, c'est raconter des histoires et faire passer de l'émotion sur un écran d'ordinateur », explique Alexandre Brachet, patron d'Upian, qui coproduit des webdocumentaires.

> C'est un travail long, qui demande du recul et un point de vue d'auteur, raconté avec tous les nouveaux outils du Web. Il faut savoir faire des sites, raconter une histoire et inventer des *process*.

Sans modifier les fondamentaux du métier de journalisme, il offre, par une authentique nouvelle et souvent audacieuse présentation de l'information, des pistes prometteuses pour le journalisme de demain, celui qu'il faut aider, défendre et promouvoir.

C'est aussi un nouveau support pour les photojournalistes, dont la profession est en crise.

Mais nous ne sommes qu'au début de son histoire, et son financement onéreux reste difficile et cantonné pour l'instant à des coproductions réalisées le plus souvent avec des acteurs de l'audiovisuel public, des ONG ou même des entreprises, même si des sites de quotidiens, comme celui du journal *Le Monde*, innovent avec succès dans ce domaine.

e) Journalisme de données et visualisation de l'information

Nous avons vu comment, en ce début de XXIe siècle, nous sommes tous confrontés à une surabondance d'informations, de mots et de signaux. Or, les efforts et les initiatives actuelles de visualisation de l'information présentent des modes plus efficaces de transmission de l'information, qui répondent bien aux nouvelles attentes et à la culture du public d'aujourd'hui.

Tout l'enjeu est de transformer, de manière visuelle, les données en informations, en connaissances et en savoir. L'exploitation puis la visualisation de données (qui inondent le Web, souvent gratuites, publiques...) grâce aux nouveaux outils numériques constituent l'un des rares champs de fort développement potentiel pour les entreprises de médias et pour le journalisme en général : au niveau commercial (pour des sites Web de médias), mais aussi éditorial, pour de l'investigation (donc en vue de scoops), et pour réduire le bruit et l'infobésité.

Ce nouveau journalisme de données offre une narration visuelle, une médiation esthétique entre le public et les données. Son processus est classique : collecte, traitement (nettoyage des données), analyse, visualisation, scénarisation et narration. Le sport et la finance sont deux domaines naturels pour cette nouvelle discipline journalistique. Mais pas seulement.

La visualisation de données, permise par les nouveaux outils numériques, va être un facteur de plus en plus important de la couverture de l'actualité, notamment économique et scientifique.

Fini les tableaux arides de statistiques, il est aujourd'hui possible de transformer des données en informations et en savoir, grâce à de nouveaux outils. C'est souvent simple, innovant, esthétique, très explicatif. Et souvent plus scientifique et rigoureux que des articles classiques. Il faut pour cela collecter les données, les trier, vérifier, analyser, mettre en forme de manière attractive, et scénariser. C'est aussi un moyen technique de personnaliser son point de vue sur l'information, en permettant à l'internaute de consulter, à la source et sans intermédiaire, les bases de données.

Le traitement visuel de résultats d'études, de performances, de données brutes, enfouies dans d'obscurs tableaux, va leur donner une nouvelle vie en servant l'information par une narration différente et enrichie. Un graphique fixe ou animé illustrant un plan de sauvetage des banques de 1 000 milliards de dollars en dit souvent plus qu'un article. Le journalisme de données peut mettre en perspective visuellement plusieurs pays, plusieurs siècles, fait des comparaisons qui parlent à l'intelligence visuelle. Il favorise aussi la collaboration avec l'audience dans la collecte et l'exploitation de données.

f) Une infographie multimédia

Aux États-Unis, les plus spectaculaires infographies multimédias de données sont visibles aujourd'hui dans le *New York Times*, qui emploie dans ce département plus de trente personnes, dont des développeurs Flash, des graphistes, des webdesigners.

Ce journal a été le premier à proposer ce type de couverture pendant la campagne d'Obama. Lors du Super Tuesday des primaires, la page la plus vue du site fut un graphique animé. Le *Guardian* britannique est aussi en pointe sur ce secteur.

Les pages les plus consultées du site Le Monde.fr furent longtemps celles de « L'actu en patates ».

La valeur est dans l'exploitation informatique et informationnelle de ces données et leur visualisation. Ce journalisme, qui s'adresse à l'intelligence visuelle du public, s'appuie sur l'informatique et la coopération entre journalistes, développeurs Web et informatiques, et le public (dont des universitaires, des experts) qui sauront exploiter des données, souvent publiques, pour faire apparaître des tendances et parfois des comportements déviants de nature à être rendus public. Il est souvent basé sur l'*open source*.

Transformer des données brutes en savoir et en connaissance est aujourd'hui un secteur plein d'avenir. De nombreuses collectivités et entreprises l'ont déjà compris.

Il s'agit aussi de faciliter l'accès et l'exploitation des données publiques, véritables mines d'informations à traiter et à organiser. Le mouvement international d'ouverture des données publiques et la prolifération des liens accélèrent cette discipline. Le gouvernement britannique a ainsi ouvert, mi-2010, un site de ses données publiques (avec l'aide de Tim Berners-Lee, l'inventeur du Web), Data.gov.uk. Il fournit déjà trois fois plus de données exploitables que son homologue américain Data.gov. La Banque mondiale propose ainsi un accès à ses données via Data.worldbank.org. La France demeure pour l'instant en retard.

g) Quelques exemples

DocumentCloud, initiative en *open source* du *New York Times* associé au site Pro Publica, met à la disposition des rédactions un outil d'indexation et de recherche dans des documents primaires officiels.

Pro Publica met aussi à la disposition des gens des outils pour aider les journalistes : Matchmaker, par exemple, pour les renégociations de prêts immobiliers.

NewsTilt : place de marché pour aider les journalistes free-lances à trouver des débouchés sur le Web.

En France, quelques équipes – des *pure players* – s'y mettent aussi : Dataveyes (« l'information vous saute aux yeux [...] ou l'art de faire parler les données »), Owni (laboratoire de journalisme numérique, dont une partie est dédiée au *data journalism*). À noter aussi que Google vient de proposer une version allégée de son logiciel Gapminder à télécharger. Parmi les meilleures ressources Web sur ce sujet : flowingdata.com, infosthetics.com, fivethirtyeight.com, datavisualization.ch, idsgn.org, visualcomplexity.com, visualizing.org, informationisbeautiful.net.

h) Développement de la cartographie Web

La mise à disposition pour les internautes de cartes satellites (Google Maps, IGN...) a changé le traitement et la présentation des informations, qui deviennent vite spatiales. Les journalistes intègrent des cartes enrichies dans leurs reportages.

i) La réalité augmentée

Après la réalité virtuelle, type *Second Life*, la réalité augmentée est un mélange de monde réel et d'applications animées, souvent en 3D. Cette technologie a été d'abord utilisée ces dernières années par l'armée américaine, avant d'avoir aujourd'hui comme principal champ d'application le secteur de la publicité, ou certains jeux vidéo (console Wii).

La réalité augmentée (superposition de données sur la réalité physique), utilisée déjà d'une certaine manière déjà lors de retransmissions sportives (ligne de hors-jeu, vitesse de la balle...), va aussi gagner rapidement l'information générale et enrichit déjà certaines informations en mobilité via les smartphones.

Les sociétés néerlandaises Touching Media et le leader français du secteur Total Immersion présentent, via un laptop et une webcam, des applications très spectaculaires. CNN a utilisé cette technologie lors de la nuit des élections américaines de mi-mandat en novembre 2010.

j) La géolocalisation

Nouvel outil Web, déjà classique, pour situer sur des cartes en ligne des personnes et événements, ou pour mieux communiquer via des téléphones mobiles et des réseaux sociaux.

Cette technologie va connaître un développement important en association avec l'information en mobilité.

k) Après la publication en ligne

Dans ce nouvel écosystème d'informations, Google donne deux conseils importants aux rédactions : « Au lieu de jouer la rareté, cherchez la valeur dans l'ubiquité. » En d'autres termes : « Existez partout ! » (sur toutes les plates-formes et tous les supports possibles). Et, surtout, « soyez trouvables » !

Les personnes les plus importantes d'une rédaction Web aujourd'hui sont bien souvent plus les experts en « SEO » (« *search engine optimization* ») que les rédacteurs en chef. Ce sont eux qui vont permettre à un papier d'apparaître en bonne place dans les moteurs de recherche. Même si Google change les règles souvent. Mais il faudra veiller à ne pas tomber dans les excès des usines à contenus qui n'écrivent qu'en fonction des requêtes sur les moteurs (les cinquante termes les plus recherchés sur Google !), et donc pour la publicité.

l) L'ouverture des API

De nombreux médias adoptent ce moyen de diffusion de leurs contenus sur d'autres médias. Ils mettent à disposition des développeurs des interfaces d'utilisation (*plug-in*) pour les intégrer plus facilement.

Grâce au développement et à la mise à la disposition de ses API, la radio publique américaine a propulsé ses contenus (sons, photos, textes...) sur toutes les plates-formes imaginables. En six mois, cinq milliards de documents ont ainsi été distribués sans effort.

m) Les jeux vidéo et les mondes virtuels

Des expériences se développent, notamment dans des universités américaines, pour lier des plates-formes de jeux vidéo et des environnements virtuels au journalisme afin d'accroître l'engagement des internautes dans l'actualité. Certains parlent déjà de journalisme d'immersion.

6. LE JOURNALISME AUGMENTÉ DE VALEURS AJOUTÉES

> L'autorité du journaliste vient d'abord du service qu'il rend.
>
> Jay Rosen

Dans un nouvel écosystème média dominé par l'abondance et la banalisation de l'information, l'heure est à l'urgente nécessité de se différencier des autres. Le journaliste ne peut plus être qu'un réverbérant.

Le Web est autant, si ce n'est plus un service qu'un média. C'est un média de contenus associé à des technologies (logicielles, plates-formes ubiquitaires, etc.)

Il faut donc positionner l'information comme un service et non plus seulement comme un contenu.

Les modèles qui réussissent aujourd'hui sont ceux qui simplifient la vie des utilisateurs, lui font gagner du temps, et rendent des services, aux internautes, aux annonceurs. Il est bon de rappeler qu'Amazon vend les mêmes livres que le libraire, et iTunes la même musique que la maison de disques Universal. Avec des services en sus.

La clé du succès d'un journaliste aujourd'hui est de trouver l'information et de la transformer en savoir et connaissances au moment où on en a besoin. Le premier des services du journaliste est de se trouver là où le public n'est pas et avec des gens auxquels ce dernier n'a pas accès facilement. Il doit raconter le monde de manière originale : « Je suis ici, vous n'y êtes pas, laissez-moi vous raconter et vous expliquer ce qui se passe. » Le journaliste sait quelque chose que le public est censé ne pas savoir.

La valeur ajoutée est aussi de plus en plus dans l'enrichissement éditorial et technologique de l'information. Dans le contexte et le contenu.

Confrontés aux nouvelles exigences du Web, les éditeurs réclament « une voix » et de la mise en perspective, et non plus seulement de la dépêche d'agence, ou des infos dont tout le monde dispose. C'est le débat qui agite toutes les rédactions : minimiser la banalité de l'information, et maximiser la qualité du reportage et de l'analyse. Le *Financial Times Deutschland* a mis en place des coordinateurs éditoriaux chargés d'enrichir les dépêches d'agences et la copie des reporters avec des contenus supplémentaires dans chaque rubrique.

a) L'enrichissement éditorial

« Aujourd'hui, ce dont nous avons besoin, ce sont de journalistes qui sachent relier les faits. Face à la banalisation croissante de l'information, la valeur est dans la mise en perspective rapide des faits. Non seulement collecter, éditer, hiérarchiser et distribuer ne suffisent plus, mais il faut désormais aussi analyser les informations avec un degré de vitesse jusqu'ici réservé aux seuls factuels. Ce ne sera possible qu'avec des journalistes bien formés et bien informés. Les journalistes traditionnels font une erreur s'ils croient que leur capacité à collecter et à organiser les faits continuera à les rendre indispensables », écrivait déjà en 2007 la *Columbia Journalism Review*.

Il ne suffit donc plus de donner les nouvelles de la veille ou du jour même, connues de tous, mais il faut offrir du contexte, de la perspective, de l'analyse claire et rapide afin d'aider le public à saisir l'importance des événements pour lui et la société, à regarder de l'avant, à anticiper la suite.

Le nouveau journaliste devra, avant d'appuyer sur le bouton « Send », se demander quelle valeur ajoutée il a apporté à une matière disponible en grande quantité.

Enrichir, c'est aussi ne pas nécessairement faire simple et court, au risque de faire faux ! C'est aussi parler de ce qui est important et pas seulement de ce qui est nouveau ! C'est tenter d'avoir les yeux braqués au bon endroit. La valeur est dans le tri, le filtrage, le guidage et la confiance.

L'un des principaux avantages compétitifs des journalistes est leur rapidité de contextualisation, leur vitesse à expliquer et à placer une information dans son contexte. L'enrichissement éditorial est aussi dans l'analyse provocante et la prospective.

Pour un journaliste de télévision, cette « contextualisation » rapide se traduira par le fait d'expliquer aux téléspectateurs un événement retransmis en direct, de trouver d'autres éléments d'information et de les agréger rapidement, de monter rapidement un sujet de deux, dix ou trente minutes, tandis que son producteur devra s'arranger pour le diffuser sur un maximum de plates-formes.

b) Exemples d'informations à valeur ajoutée :

La surveillance des puissants et les comptes demandés aux élus, aux dirigeants d'entreprise, et non des petites phrases ou le recopiage de communiqués.

La couverture locale de notre environnement proche et des gouvernances régionales.

Des anticipations sur les grandes tendances à l'œuvre dans la société qui permettent de voir venir (voire de prévenir) les conflits, les catastrophes écologiques, les crises financières, et non des réactions après coup.

L'authentification : le journaliste aide le public à distinguer le vrai du faux, indique qui croire, de qui se méfier, etc. Il aide à la navigation sur le Web.

La facilitation de débats : le journaliste aide l'audience à engager les discussions de manière sensée.

Les journalistes doivent redevenir des guides aussi indispensables que dans le passé, ils doivent fournir de nouvelles solutions aux nouveaux problèmes de leur communauté locale, nationale, internationale. Auparavant, les médias classiques offraient, en plus de la couverture de l'actualité, des horaires de cinéma, des programmes de télévision, des critiques de livres ou de films, des recettes de cuisine, des aides pour remplir sa feuille d'impôts, des idées sur la manière de décorer sa maison... Aujourd'hui, il faut réinventer de nouveaux services, ceux que les gens ou les annonceurs sont prêts à payer.

c) L'enrichissement technologique : le rich media, les données

« Le bon journalisme, ça a toujours été de raconter une bonne histoire », résumait récemment l'ancien et mythique patron du *Washington Post*, Ben Bradlee. « Et, ajoutait celui du *San Francisco Chronicle*, Phil Bronstein, aujourd'hui nous avons de meilleurs outils pour le faire. »

Tous les grands médias travaillent aujourd'hui à enrichir techniquement leurs informations (notamment par des tags et des métadonnées), pour les adapter à la nouvelle donne numérique, aux nouveaux usages.

Car, après l'époque des contenus (les briques), puis du multimédia (assemblage des briques), l'heure est aux métadonnées : la valeur ajoutée apportée aux deux précédentes dimensions. C'est-à-dire à enrichir l'information et à optimiser les liens entre contenus.

d) L'enrichissement sémantique

Le Web sémantique, aussi baptisé Web 3.0, est l'idée que les machines – et non plus seulement l'homme – peuvent aussi comprendre l'information. Il repose sur des métadonnées, des tags, qui constituent la langue dans laquelle les contenus parlent.

Il transforme les contenus et les données en informations utiles et permet ainsi aux éditeurs, aux journalistes, d'analyser des textes, de trouver des modèles, des tendances, des répétitions. Il les aide à trouver et à partager des documents. Il permettra demain de mieux anticiper les demandes des internautes, de distinguer chaque partie du contexte d'un document et de la catégoriser, de voir comment des entités sont en relation avec d'autres. On est en train de passer de tags sur des pages au *link data*, qui consiste à relier les données (fichiers, agendas) entre elles via le Web.

Les tags et métadonnées, outils de référencement collectif, y sont cruciaux et constituent de l'intelligence partagée.

Tagging automatique, métadonnées proposées, liens entre les différents contenus, moteur linguistique, taxonomie, autant de nouvelles fonctions pour améliorer la trouvabilité et la visibilité des contenus d'informations.

Le Web sémantique, c'est un Web contextuel, qui donne du contexte aux informations, en y ajoutant ces liens riches d'autres infos, de backgrounds, orientant vers une photo, une vidéo ou d'autres liens. C'est le Web qu'attendent les jeunes générations. Ce n'est pas ajouter de la vidéo ici ou là, mais ajouter du contexte grâce à la technologie d'Internet.

L'agence de presse Reuters ajoute déjà sur sa plate-forme Open-Calais des tags (des balises) aux contenus pour qui en veut. Cela permet aux médias d'être mieux vus sur le Web et donc mieux répertoriés par les moteurs de recherche, et donc d'accroître leur trafic...

Les métadonnées, les tags constituent des guides pour naviguer dans l'univers numérique actuel. Correctement placés, ils seront cruciaux pour se retrouver dans le passé numérique.

Techniquement, les sites Web deviennent de plus en plus créatifs pour recréer visuellement des situations, des événements, relater des faits, voire même les expliquer, en les « contextualisant » et en pointant vers des liens extérieurs permettant d'illustrer un propos, par l'image, la vidéo, les graphiques animés, ou de nouveaux contenus.

e) La personnalisation

La personnalisation des contenus, l'exact inverse des mass media, est l'un des prochains Graal de l'information.

Déjà le public picore, déconstruit les contenus et les réagrège à sa manière. À l'instar du site de musique personnalisée Pandora, des sites offrent de plus en plus de possibilités. Plus l'audience donnera d'informations sur elle-même, ses goûts et ses comportements, plus les éditeurs sauront rendre les contenus pertinents. C'est-à-dire fournir le bon contenu à la bonne personne au bon moment et souvent au bon endroit.

Des services d'informations locales Web personnalisées se développent. Le *New York Times* a ainsi développé un prototype nommé Custom Times.

Évidemment, l'industrie de la publicité travaille activement à ce futur proche.

f) La valeur est dans la rareté et donc dans les niches, la spécialisation, les nouveaux sujets

La valeur n'est plus dans des paquets ficelés où le lecteur était obligé d'acheter tout à la fois (politique, sports, mots croisés, programmes TV, pub, critiques de cinéma, annonces immobilières...). La fragmentation numérique des informations et surtout le *snacking* des internautes y ont mis fin.

« Un média qui excellerait dans 30 % de ses contenus et serait OK pour les 70 % restants n'a pas d'avenir sur le Web, car c'est tout simplement trop difficile de concurrencer des niches », estimait, en 2009, Jim Brady, ancien éditeur du *Washington Post* en ligne.

Des informations et analyses de très haute qualité de fiabilité et de pertinence peuvent devenir un marché de niche. Plus l'information est rare et exclusive, plus elle est monétisable. Il suffit de voir la réussite des informations financières monétisées par le *Wall Street Journal*, Bloomberg ou *Les Échos*.

Et peu importe alors le support : *The Politico*, nouveau média d'information à Washington, excelle sur le Web comme sur papier. Son thème : la politique américaine. Mélange d'infos en temps réel, de conversations avec les hommes politiques, *tweets*, etc., *Politico* sature l'espace politique d'informations.

Les magazines qui s'en sortent d'ailleurs le mieux aux États-Unis sont ceux à forte valeur ajoutée, comme *The New Yorker*, *The Atlantic*, *The Economist*.

166

Les seuls journalistes qui tirent vraiment leur épingle du jeu sont aux États-Unis les journalistes sportifs, embauchés à prix d'or par *ESPN* ou Yahoo! Sport.

Pour certains, les niches exclusives se situent, par exemple, dans :

a) une couverture hyperlocale (écoles, universités, collectivités locales, équipes de sport professionnelles...) ;

b) l'exploitation de bases de données locales (gouvernement, éco, social, prix de l'immobilier...) par des technologies Web sophistiquées et difficilement répliquables ;

c) des enquêtes longues (meilleurs hôpitaux) et des interviews exclusives ;

d) des critiques (gastronomiques, touristiques...) ;

Encore une fois, Internet et les contributions d'experts permettent là aussi des espoirs importants pour les journalistes spécialisés qui sauront mettre en forme et donner du sens pour le grand public à des sujets de plus en plus complexes : environnement, science, médecine, espace, biotechnologies, nanotech, etc.

De nombreux médias classiques ont ainsi lancé des sites, des blogs consacrés à ces sujets. Nous assistons ainsi aujourd'hui à la fin des portails et à l'essor des niches, pour répondre à la fragmentation de l'audience, concurrencer Google et Yahoo!, pour multiplier les espaces publicitaires.

Un nombre croissant de médias traditionnels lancent des sites verticaux, sous des marques différentes, et y vendent des espaces publicitaires aux annonceurs, en plus de leurs propres sites.

g) Hyperlocal : la carte de la proximité

De plus en plus, notamment grâce aux nouvelles technologies et au rôle joué par le public, en association avec les journalistes, les contenus de proximité ont la faveur de l'audience, des annonceurs et des médias locaux (journaux, radios, TV, sites). Les internautes sont avant tout intéressés par leurs communautés, y compris géographiques.

Les *pure players* ne s'y trompent pas : les fonctions locales des moteurs de recherche croissent aussi rapidement, et chez Yahoo ! ce sont les activités locales qui dominant le trafic avec, dans l'ordre, le *search* local, les cartes, les news locales, les réseaux sociaux locaux, les petites annonces.

Des sites hyperlocaux, à l'échelle d'une ville ou même d'un quartier, proposant une couverture aussi fine que celle du pâté de maisons (EveryBlock) ou d'un quartier de ville (SouthBoston), fleurissent.

Les grands journaux nationaux américains, comme le *New York Times* et le *Wall Street Journal*, veulent d'ailleurs damer le pion aux journaux locaux, et partent à la conquête des autres grandes villes de l'Union pour en devenir la première source imprimée.

Un exemple allemand : le site d'informations locales DerWesten, du groupe de presse WAZ, privilégie une couverture hyperlocale. Des caméras Flip Video HD (ultralégères) sont données à tous les journalistes qui envoient en vrac leurs contenus exclusifs à une rédaction d'éditeurs vidéo. Des couvertures en direct (via le site Qik) sont assurées grâce à des téléphones portables Nokia. « La qualité n'est pas celle de la télévision, mais ce sont des exclusivités. » 60 % des contenus sont des news, 40 % du « making of » pour entrer davantage en relation avec l'audience. Le site pratique d'ailleurs « l'hyperdistribution » en postant ses contenus sur tous les réseaux sociaux (Facebook, Twitter, YouTube, Posterous…). C'est gratuit et cela accroît l'audience qualifiée recherchée : 8 % du trafic de DerWesten.de provient de Facebook et de Twitter.

7. Le journalisme augmenté du packaging

> L'expression sera bonne si elle frappe.
>
> (Épitaphe de Lucain)

La valeur ajoutée passe par le design, la présentation, le packaging : la mise en scène !

La mise en forme et le directeur artistique prennent une importance croissante dans la conduite de la rédaction. Cette évolution est à relier avec la culture visuelle des nouveaux publics. Trop de contenus ennuyeux et prétentieux nous gâchent le plaisir de lire et de regarder.

Si les journalistes traditionnels sont très sensibles aux titres, ils le sont généralement moins au reste de la présentation et de la mise en valeur de leurs papiers. Mais dans notre nouvelle culture de l'écran (souvent petit !) où toute information n'est qu'à un clic d'une autre, attirer l'attention et la conserver deviennent cruciaux.

Il devient nécessaire de repenser le design des informations à toute occasion et de laisser à l'utilisateur la possibilité d'y jouer un rôle.

Raconter une histoire, c'est aussi vendre une histoire ! Dans un monde dominé par l'image, il faut faciliter l'accès aux contenus et les rendre plus attractifs.

« Nombre d'adolescents nous ont dit qu'ils ne font pas d'effort particulier pour prendre connaissance des informations sur le Web, explique Michael P. Smith, directeur du Media Management Center de l'université américaine du Northwestern en banlieue de Chicago. Mais ils cliqueront sur des news si quelque chose les attire. » Il faut donc, pour les médias, apprendre à les attirer « avec du contenu qui les intéresse, de la vidéo, les sujets adéquats, des news humoristiques et insolites, et du nouveau ».

Dans une économie de l'attention, où l'abondance des contenus a remplacé leur rareté, le temps de cerveau disponible sera de plus en plus dur à capter et à conserver ! Soigner le design de l'information devient crucial. D'autant que se multiplient aussi les nouveaux supports et plates-formes de distribution (smartphones, tablettes, encre électronique…). Il faut donc faire de beaux médias !

Pour Felix Bellinger, directeur de l'information du journal allemand *Hamburger Abendblatt*, celui qui dirigera à l'avenir la rédaction ne sera pas le rédacteur en chef, mais le directeur artistique en raison de l'importance croissante de l'information visuelle qui va passer par les tablettes.

C'est aussi la qualité de l'accès au contenu qui fera la différence.

« La forme, c'est le fond qui remonte à la surface ! », disait Victor Hugo.

8. LE JOURNALISME AUGMENTÉ DE FORMATIONS, DE NOUVEAUX MÉTIERS ET D'ENTREPRENEURIAT

Le journaliste « Shiva », hacker et entrepreneur devra savoir parler plusieurs « langues nouvelles » : photographie, vidéo, son, téléphonie mobile ; nouvelles technologies de l'information (Web 1.0 et 2.0) ; fondamentaux de l'économie des nouveaux médias.

a) Importance vitale d'une formation généralisée et rapide

Le problème numéro un des entreprises de presse et de médias actuelles étant culturel, la formation aux nouvelles technologies de l'information des personnels des médias traditionnels est bien un élément crucial de leur survie.

C'est vrai qu'il n'est pas facile d'apprendre à faire du vélo à 50 ans ! Mais il faut s'y mettre et se former. Vite ! Il faut que les journalistes sachent utiliser la palette de nouveaux outils à leur disposition pour réaliser dans les meilleures conditions leur métier.

Le Web est un média beaucoup trop rapide, agile, changeant pour qu'il soit possible à un média de garder immuable sa rédaction.

Les reporters et les éditeurs, qui vont devoir apprendre et réapprendre, devraient passer un peu de temps hors de leur rédaction dans les nouveaux univers numériques sociaux, et sans se prendre de passion pour ces changements technologiques, garder de la curiosité. D'autant que le public qui produit désormais des contenus a souvent une longueur d'avance sur le journaliste en matière de compétences informatiques.

Le quotidien britannique *Guardian* rapportait l'an dernier que plus des deux tiers des journalistes européens n'avaient toujours pas eu de formation Web.

L'agence de presse russe RIA Novosti a ainsi estimé qu'investir dans la formation pour améliorer les compétences de ses personnels constituait le programme anticrise le plus efficace de tous. L'agence a mis au point des formations en technologies multimédias, reportage vidéo et photo, infographie, moteurs de recherche et risques juridiques. Quatre cents personnes ont déjà été formées. « Nous voulons que nos employés pensent les sujets d'abord visuellement », explique son rédacteur en chef.

b) Attention au fossé numérique à l'intérieur des médias et au clash des générations !

Gare au fossé numérique qui se creuse, entre ceux qui maîtrisent les nouveaux outils permettant de participer à la nouvelle conversation mondiale, les journalistes « tradigitaux », et les autres, les anciens.

L'arrivée de jeunes journalistes dotés de ces nouvelles compétences techniques constitue toutefois un gros défi pour les générations de journalistes confirmés. Les jeunes ont tous ou presque une formation totalement multimédia (texte, audio, vidéo, parfois aussi en informatique sur des technologies Flash, différents CMS, voire en HTML).

Il est donc nécessaire d'encourager des formations simples pour apprendre au moins à ouvrir un blog, participer à un « wiki », poster une photo sur Flickr ou une vidéo sur YouTube.

Rêvons aussi de voir les journalistes confirmés regarder avec moins de méfiance Internet, bourré d'avis d'experts facilement disponibles sur les blogs.

Attention aussi à l'inverse : les tensions nées des différences de statut qui voient des grands reporters grassement payés avec force notes de frais, et des soutiers, souvent en CDD, travailler à la chaîne, souvent pour moins cher, sur les versions électroniques des mêmes médias.

Malgré cet essor de nouveaux métiers et de nouvelles compétences, et en dépit de l'appétit croissant du public pour l'information, le nombre global de journalistes professionnels ne devrait pas beaucoup augmenter dans les prochaines années. La plupart des emplois proviendront de petites structures aux ressources limitées.

Attention donc enfin au syndrome de la génération perdue !

Le modèle économique des médias ? Par terre, en morceaux. Et probablement pour un bon moment. Tout le monde le sait ! Ce qui est nouveau, c'est la volonté de plus en plus ouvertement affichée des nouveaux responsables éditoriaux, « nés » avec le numérique, de le ramasser et de prendre le relais. Dans les rédactions Web, les jeunes ont pris le pouvoir. Les chefs les regardent !

Acteurs d'une tension croissante entre les générations pour le leadership dans les médias, ils le disent désormais haut et fort, et piaffent devant l'impuissance des « anciens ».

« Laissez les gens du Web prendre les décisions ! » ; « Comment avez-vous pu accepter une division par dix de la pub, via le troc de dollars gagnés dans l'imprimé ou à la télé, contre les pennies de l'Internet ? » ; « Comment avez-vous pu vous laisser dessaisir aussi facilement de la vache à lait que constituait la rente du monopole artificiel des petites annonces sans réagir avec des propositions technologiques innovantes ? » ; « Comment avez-vous pu laisser nos contenus devenir gratuits ? » ; « Pourquoi continuer avec des recettes qui ne marchent pas, et surtout des gens qui ne comprennent pas les nouveaux paradigmes ? » ... Voilà ce qu'on entend fréquemment dans les conférences sur les médias.

c) *Les écoles de journalisme ne sont toujours pas dans la course*

Elles sont souvent hélas encore plus lentes à évoluer que les médias traditionnels, restés souvent eux-mêmes à l'ère glaciaire. Les vieilles divisions par plates-formes de distribution d'informations (presse écrite, radio, TV, etc.) qui y sont enseignées semblent de moins en moins pertinentes.

Sur le fond, elles ne sont pas forcément les mieux à même d'enseigner aux jeunes à regarder au bon endroit, pour braquer leurs regards sur ce qui est important dans ce monde de plus en plus complexe. Sur la forme, les vieux professeurs apparaissent souvent dépassés par la vitesse des changements du monde numérique.

Et leurs étudiants, qui avouent presque unanimement ne plus s'informer via les anciens médias, veulent encore quasiment tous y travailler !

Signe inquiétant : en 2009, seulement la moitié (55 %) des étudiants en journalisme aux États-Unis ont trouvé du travail la première année qui a suivi leur diplôme, selon une étude de l'Université de Géorgie.

Les écoles de journalisme sont donc amenées à changer : elles vont de plus en plus s'ouvrir aux autres disciplines (technologie, informatique, économie des médias, etc.), elles vont jouer un rôle croissant dans l'expérimentation de nouvelles formes de collecte et de narration à l'aide des nouveaux outils. Elles vont aussi familiariser leurs élèves à l'art de la collaboration, au travail en groupe, et initient déjà, par elles-mêmes ou en coopération avec des médias existants, de petites unités éditoriales prêtes à l'emploi.

La grande satisfaction des enseignants reste d'y découvrir toujours des jeunes dont la motivation principale est de clamer et réclamer la vérité. Cette nouvelle génération décomplexée, qui garde le respect des fondamentaux, vogue vers *la terra incognita* du journalisme. Car ces jeunes sont en train d'inventer ensemble aujourd'hui un nouveau média !

d) Quels nouveaux métiers ? En ligne toujours !

Surprise ! Selon une récente étude américaine, l'emploi parmi les journalistes a progressé de 19 % entre 2007 et 2010. Dans le même temps, il a baissé de 26 % dans les journaux, de 16 % dans les magazines et de 11 % dans les radios et télévisions. La différence se trouve dans les unités en ligne, à commencer par les géants AOL et Yahoo !.

Mais les jobs ne sont plus tout à fait les mêmes. Les temporalités des métiers non plus.

D'autant que de nouveaux profils sont apparus ces dernières années dans les petites annonces : les journaux, magazines ou télévisions recherchent aussi désormais des éditeurs de métadonnées, des éditeurs spécialisés en moteurs de recherche, des *community managers*, éditeurs de réseaux sociaux (NBC), des journalistes visuels, des agrégateurs, des remixeurs, des facilitateurs, des certificateurs, des producteurs Web (iVillage.com), des producteurs numériques (*WSJ*).

Avec tous ces nouveaux métiers, l'organisation du travail dans la rédaction n'est plus séquentielle comme au siècle dernier, mais éclatée, non linéaire, collaborative, modulaire. Le rédacteur en chef n'est plus forcément référent sur tous les aspects de la production. Les méthodes de travail changent très vite.

e) Nouvelles qualités requises, profils et compétences

Le journaliste ne vit pas dans un monde à part. C'est juste un citoyen, pour l'instant un peu mieux informé que les autres. Ses compétences sont loin d'être sophistiquées et n'ont rien à voir avec celles d'un neurochirurgien ou d'un pilote de 747, soulignait récemment Jay Rosen.

Mais deux compétences essentielles sont toutefois aujourd'hui réclamées des jeunes journalistes : un bagage culturel de fond solide pour comprendre un monde complexe et une familiarité totale avec les nouvelles technologies numériques. Ajoutons-en une troisième dans un métier en pleine mutation : un esprit entrepreneurial avec de bonnes bases en économie des médias.

On demande aussi au nouveau journaliste d'être :

a) multitâche, d'endosser des responsabilités et de remplir des rôles qui ne sont pas forcément au cœur du journalisme traditionnel (blogueurs, créateur de sites Web, relations publiques et marketing, vidéaste, etc.) :

b) à l'aise avec les bases de la programmation informatique, des outils et de la culture Web ;

174

c) un point de référence sur sa rubrique et d'être capable d'en identifier les meilleurs experts mondiaux pour y diriger son audience ;

d) un narrateur multimédia à l'aise sur toutes les plates-formes de diffusion de l'information en ligne ;

e) un animateur et gestionnaire de marque en ligne dans une conversation constante avec l'audience (après avoir écrit ses 350 mots, il faut pouvoir vendre son info et utiliser les nouveaux outils (Facebook, YouTube...) ;

f) un passeur et modérateur entre les différentes générations, numériques et non numériques ;

g) un facilitateur d'échanges, un animateur et un bâtisseur de communautés ;

h) un filtre de confiance.

Dans le nouvel environnement Internet, il faut aussi savoir :

a) penser à la plate-forme qui sera utilisée, savoir laquelle utiliser pour servir au mieux son audience ;

b) chercher l'information dans les données *(data mining)* ;

c) associer les différentes formes d'expression (texte, photo, son, vidéo, graphiques) ;

d) analyser les outils de mesure d'audience.

Ce serait bien également qu'il aime :

a) un sujet particulier, plus que les autres ;

b) ses lecteurs ;

c) être mobile et flexible ;

d) « marketer » lui-même sa production.

Exemple de nouvelle fonction récente : le *social media editor* (coordinateur des réseaux sociaux).

Au *New York Times*, il est chargé de promouvoir l'utilisation des médias sociaux au sein de la rédaction (déjà soixante-dix blogueurs), mais aussi de veiller à ce que les contenus du journal se trouvent sur les médias sociaux, là où les gens vivent sur Internet. Le *New York Times* a plus de 2,8 millions de *followers* sur son compte Twitter et près d'un million d'amis sur sa page Facebook.

La BBC, AP et l'AFP ont tous récemment créé ce poste.

L'enjeu est important : grâce à son partenariat avec Facebook, le blog d'information Huffington Post a vu son trafic grimper en flèche et dépasser celui du *Washington Post*.

Voici cinq caractéristiques du journalisme dans dix ans, selon Emily Bell, ex-responsable des contenus numériques au groupe Guardian :

1. Le journalisme ira là où est l'audience (au lieu d'espérer que le public se rende sur des sites de news ou regarde la TV). Aujourd'hui, il s'agit d'être présent sur Twitter, Facebook, YouTube... Dans dix ans, il s'agira d'autres supports.

2. Le journalisme fonctionnera en réseau et non en silos. Il agira comme un hub et non comme une destination.

3. Les journalistes devront être particulièrement fiables et sûrs.

4. Les journalistes devront être prêts à partager leurs informations quand ils la détiennent et quel que soit le support. D'où des compétences nécessaires en écriture, vidéo, son, blogs, podcast, photo, etc.

5. Le journalisme ne sera pas possible sans la collaboration de l'audience.

f) D'ores et déjà encourager tous les journalistes
à utiliser les outils du Web 2.0

Au sein d'un média traditionnel, les journalistes doivent être formés et encouragés à utiliser tous les nouveaux outils nés de la révolution de l'information afin d'être en prise, en conversation avec leurs lecteurs, leur audience, leurs téléspectateurs. Ces blogs, pages Facebook, comptes Twitter deviendront le centre de leur réseau social en ligne.

Il devient donc notamment important de savoir : bien chercher sur Internet ; ouvrir rapidement un blog ; utiliser les sites de *bookmarks* pour conserver des informations, et les flux RSS pour que l'information arrive automatiquement ; filtrer l'information, ajouter des liens dans un article, écrire un titre facile à retrouver pour un moteur de recherche ; prendre des photos et des vidéos via un téléphone portable, les poster sur Flickr et YouTube ; surveiller Twitter pour les *breaking news*, les sujets importants du jour, et le « buzz » ; choisir, agréger et exposer des contenus tiers ; se servir des outils de base d'optimisation pour les moteurs de recherche ; engager et animer des communautés ; savoir collaborer avec d'autres métiers ; développer sa propre marque en ligne.

g) Rédaction Web ou traditionnelle ? Les deux...

L'intégration des rédactions (classique et Web), où les tensions générationnelles sont loin d'être absentes, continue de poser de gros problèmes, même si des entreprises de presse équipées de plates-formes multimédias (studios TV, radios...) ne sont plus une vue de l'esprit, ou une incantation, mais bel et bien une réalité en marche.

Mais la prise de conscience de la violence et de la richesse de la déferlante numérique reste insuffisante dans les rédactions. Le faible intérêt des journalistes à voir augmenter la lecture et l'interactivité en ligne de leur production en témoigne.

En 2010, le choix de l'intégration, voire de la fusion, des deux rédactions d'un média traditionnel n'a pas encore été fait par tous. Mais d'une manière générale la tendance est bien de regrouper les journalistes dans une salle de rédaction multimédia intégrée, de leur demander de produire pour tous les supports (imprimé, Web, Web TV, podcast...) et dans de multiples formats (texte, photo, vidéo...).

Car même les rédactions des journaux, voire des hebdomadaires se mettent à couvrir l'actualité 24 heures sur 24 pour le Web.

Il n'y a pas de modèle unique d'intégration, même si de plus en plus les entités print et Web reportent au même éditeur, après avoir été longtemps séparées. La mise en coopération des journalistes prévoit un rapprochement physique des rédactions, une circulation progressive des compétences, une expérience multisupport.

Mais, après avoir été un des premiers à « intégrer » ses rédactions, le journal américain *USA Today* a décidé, fin 2010, de mettre fin au *desk* universel pour organiser sa rédaction en plate-forme de distribution selon les différents supports et en quinze différentes rubriques, chacune responsable de ses revenus.

h) *Édifiante étude auprès de journalistes Web (2009)* [1]

Les journalistes travaillant pour des supports en ligne sur Internet sont moins pessimistes que leurs collègues liés à des plates-formes médias plus traditionnelles.

Ils sont dans leur ensemble optimistes sur l'avenir de leur profession, sur la perspective de trouver un modèle d'affaires viable sur le Web et sur les nouvelles technologies.

Mais ils sont, en revanche, inquiets des changements en cours dans les valeurs fondamentales du journalisme, changements liés à l'essor du Web, notamment en ce qui concerne le laxisme qu'ils perçoivent dans la manière de collecter les informations (fiabilité) et de donner la parole à des tiers. Les pressions liées à la vitesse sont aussi dénoncées comme contribuant à la superficialité et aux risques d'erreur.

Cette étude, la première du genre auprès des journalistes Web, a été menée par le Princeton Survey Research auprès de trois cents membres de l'ONA, la plus grande association américaine de journalisme en ligne. Les journalistes interrogés, et qui travaillent dans la plupart des cas pour des sites de médias traditionnels, ont en moyenne onze ans d'ancienneté dans les rédactions.

57 % d'entre eux estiment qu'Internet change les valeurs fondamentales du journalisme.

Les apports positifs liés à l'utilisation du Web concernent, selon eux essentiellement un traitement différent de l'information par les technologies et la vitesse de diffusion.

Plus de la moitié (63 %) des personnes interrogées estiment que leur tâche première est de confectionner de l'information originale dédiée au Web, et non d'agréger des contenus d'agences de presse ou de contenus tiers.

1. Étude de l'ONA (Online News Association) et du Pew Research Centre's Project for Excellence in Journalism. Voir http://www.stateofthenewsmedia.org/2009/narrative_survey_intro.php ?media=3&cat=0.

Dans leur majorité, ils estiment qu'ils sont plus épargnés que leurs collègues des plates-formes traditionnelles par les coupes claires opérées dans les médias.

Et, malgré la crise publicitaire actuelle, ils continuent, à plus des deux tiers, de penser que la pub sera, d'ici trois ans, la source de revenus principale des sites Web de news.

i) Journalistes « Shiva », Web, print, tout à la fois ?

Certains patrons de presse, comme Paul Horrocks, l'éditeur du *Manchester Evening News* (groupe Guardian), n'embauchent plus de journaliste monomédia. Fini les reporters à calepins ? Les photographes de guerre ? Les preneurs de son ? Les reporters d'images ? Chacun désormais se devra d'être polyvalent, et d'avoir au moins deux cordes à son arc.

Depuis cinquante ans, la « microlocale », les correspondants locaux, les « localiers », des journaux régionaux écrivent leurs articles et prennent eux-mêmes les photos pour leurs articles, si besoin est. Ce serait donc impossible aujourd'hui ? Il n'y a pas de compétence particulière dans le maniement d'une caméra vidéo pocket ou d'un magnétophone.

En même temps, même si la productivité fait un bond spectaculaire, le talent multidisciplinaire est encore rare. Dans les jeux vidéo, personne ne vient du cinéma ou de la télévision ! Il faudra l'émergence de nouveaux talents et s'adapter progressivement.

« Il n'y a plus de journalistes TV. Ce sont des journalistes vidéo. Quand un journaliste de NBC News couvre un événement, son reportage sera montré au journal télévisé, sur la chaîne du câble MSNBC, sur le site MSNBC.com et sur nos applications mobiles. Sur tous les supports où les gens peuvent regarder de la vidéo », explique-t-on dans le *network* américain.

De même, sur les deux cents journalistes que compte l'agence Canadian Press, la moitié d'entre eux utilisent déjà la vidéo. Les photographes ont été les derniers à monter à bord.

j) Les journalistes devront-ils savoir écrire des lignes de code ?

Certains n'hésitent pas à répondre par l'affirmative. Les journalistes développeurs du médialab de R&D du *New York Times* en font partie. Leur production, des graphiques animés interactifs à partir de données, figure en tête des pages les plus consultées du site Web du journal.

De nombreuses initiatives apparaissent liant l'apprentissage du métier de journalisme avec l'acquisition de compétences technologiques, parfois avancées.

C'est le cas de l'université Duke via son centre DeWitt Wallace for Media and Democracy, et plus récemment de l'université Columbia, à New York, qui a annoncé, en 2010, la création d'un diplôme de niveau maîtrise dans un programme intégré couplant journalisme et informatique, pour doter ses élèves de capacités technologiques et éditoriales.

Le plus souvent, il s'agit d'extraction d'informations, d'intégration de contenus et de visualisation d'informations.

Cela ne signifie pas que les journalistes devront savoir écrire des lignes de code, mais qu'ils doivent être familiarisés avec certains outils désormais à leur disposition.

Les designers et maquettistes Web vont aussi jouer un rôle de plus en plus important pour rendre l'action de s'informer tout simplement plus agréable.

Le plus sûr pour les rédactions, pour l'instant, c'est de s'entourer de bons développeurs et graphistes, et d'apprendre à travailler étroitement avec eux. Mais pourquoi ne deviendraient-ils pas aussi un peu hackers pour exposer leurs turpitudes ?

k) Journaliste entrepreneur : oxymoron ?

Dilemme moral : comment, dans un tel paysage de décomposition des médias traditionnels, regarder sereinement dans les yeux des étudiants débutant leur année de cours de journalisme ?

Un seul message tenable et positif : renoncez à vos rêves d'éditorialistes à *Libération* ou de grand reporter à TF1, et songez à créer votre propre média.

Seul ou en petit groupe, de manière indépendante ou au sein d'une entreprise ouverte à l'innovation, il est aujourd'hui enfin possible, facile, bon marché, enthousiasmant, de monter son projet, à condition, bien sûr, d'avoir quelques idées, des convictions, et des rudiments de culture « business » (marketing et business plan) et technologique (le Web !).

Jamais en effet il n'a été aussi aisé de créer soi-même un média. La facilité de monter une petite unité éditoriale pour un coût initial presque nul (plus besoin d'imprimerie, de camions pour livrer les journaux ou de stations de TV) incite déjà ceux qui ont de bonnes idées à passer à l'acte et à monter leur média, seuls ou en petits groupes.

*l) De plus en plus, les journalistes développent
leur propre marque*

De plus en plus, ce qui importe, c'est le talent et la réputation des journalistes, et moins la marque du support. Dans un paysage dominé par la banalisation et la fragmentation des informations, ce qui importe c'est la valeur ajoutée d'un élément individuel et non le paquet d'ensemble indifférencié.

Depuis longtemps, les photojournalistes sont familiarisés avec la logique du *personal branding*, c'est-à-dire à savoir se vendre sans se cacher derrière la marque de son employeur. Le nom propre redevient très important sur le Web ! Pour se faire connaître, faire évaluer sa production, éventuellement se faire embaucher.

Les journalistes du site Politico font, par exemple, énormément d'interviews TV et radio chaque semaine pour mettre en avant leur signature. Certains critiquent ce *personal branding* acquis par une bonne visibilité sur le Web. Certains journalistes ont presque plus de *followers* sur Twitter que leur journal n'a de lecteurs.

Aujourd'hui, les pigistes savent qu'ils peuvent obtenir des résultats vraiment intéressants armés d'un appareil photo, d'une caméra Flip Video, d'un laptop et d'un téléphone portable. YouTube, les Creative Commons et d'autres outils aident aussi considérablement les initiatives individuelles face aux grosses organisations, souvent trop lourdes.

Encore taboue il y a peu, l'idée de passer du statut de journaliste à une forme basique d'entrepreneuriat gagne beaucoup de terrain. Crise, plans sociaux, horizons bouchés obligent ! Mais aussi, et surtout, les nouvelles perspectives permises par la révolution numérique et ses nouveaux usages, qui ont quasiment supprimé les barrières à l'entrée, brisant les vieux monopoles de production et de distribution des contenus.

De nombreux journalistes chevronnés l'ont compris : de Rue89 à Mediapart, en passant par Slate.fr en France, après Huffington Post, *Politico*, Pro Publica, *The Daily Beast*, Global Post aux États-Unis ou Soitu en Espagne.

Des pigistes se regroupent au sein de collectifs, de petites structures qui deviennent performantes. Le site d'enquêtes journalistiques Pro Publica réalise des articles pour le *New York Times*, tout comme le site Spot.us. Toutes les semaines, de petites structures éditoriales se montent dans les grandes villes : hier à Washington, aujourd'hui à Seattle, demain à Amsterdam et à Paris.

Quelques fondamentaux importants : savoir écrire un business plan ; être familier avec les bases de l'optimisation pour les moteurs de recherche ; maîtriser quelques bases juridiques (copyrights, diffamation…) ; avoir quelques bases en comptabilité, en marketing et en e-commerce.

Quelques conseils de professionnels : ne tombez pas amoureux de votre projet. Votre passion n'est pas nécessairement partagée. Échouez rapidement et souvent (par tempérament les journalistes, perfectionnistes, n'aiment pas prendre des risques). Testez vos idées. N'attendez pas que tout le secteur de la presse s'effondre à vos pieds. Ne restez pas assis ici. Faites-le ! C'est la seule solution pour notre profession.

Laissez la technique aux pros et utilisez des outils simples et des logiciels libres.

Étudiants, vous devez développer votre propre marque personnelle[1] !

Journalistes, vous pouvez innover à l'intérieur de votre vieux média !

9. LE JOURNALISME AUGMENTÉ D'EXPÉRIMENTATIONS

Difficile pour un média de réussir désormais sans une cellule de R&D, un médialab, afin de répondre à la vitesse des changements dans la profession, de profiter des opportunités offertes par les nouvelles technologies, de surveiller les nouveaux usages et les nouvelles bonnes pratiques.

De nombreux grands médias anglo-saxons se sont dotés de laboratoires d'innovations, comme la BBC, Reuters, le *New York Times*, CBS News... Ce n'est pas le cas en France, essentiellement par manque de ressources, mais aussi de goût pour la nouveauté. On y préfère cultiver la nostalgie. Mais la tradition n'est pas un modèle d'affaires !

Tous multiplient comme jamais les expérimentations numériques. Nous sommes bien toujours dans la phase « *trial and error* », avec un journalisme qui a enfin réalisé qu'il pouvait être « *platform agnostic* » (toute plate-forme).

Reste à tester les nouvelles idées et à prendre des risques sans être tétanisé par la crainte de l'échec. Vive la culture du « bêta » ! Mais le défi sera bel et bien d'imaginer de nouveaux moyens de continuer à faire entendre à l'extérieur une voix pertinente et de convaincre de son rôle et de son utilité.

---

1. Http://www.pbs.org/mediashift/2009/08/journalism-students-need-to-develop-their-personal-brand231.html.

10. LE JOURNALISME AUGMENTÉ DE LA CONFIANCE

C'est la mission la plus difficile, mais aussi la plus importante, dans une société où la défiance généralisée envers les corps constitués croît à toute vitesse. Sans questionnement sur leur nouveau rôle dans un monde « über-connecté », les journalistes auront du mal à poursuivre leur mission.

Pour offrir la meilleure expérience possible dans une société de l'interaction, les médias devront réconcilier la dynamique sociale du Web, dont l'un des moteurs est la confiance dans les pairs, avec des contenus de qualité. Et garder ce qui fait leur force : leur capacité et leur structure reconnue pour enquêter sur les terrains difficiles et vérifier l'information. Car ils restent toujours récipiendaires d'une certaine confiance. Pour combien de temps ?

Car la confiance dans les médias, on l'a vu, est à un bas niveau : 63 % des Américains jugeaient, l'an dernier, que les articles de presse sont souvent inexacts (contre 53 % en 2007), et seuls 29 % estiment que ceux-ci rapportent les faits de manière exacte (contre 39 %) ; 74 % pensent que les médias favorisent un camp lors de la couverture d'événements politiques et sociaux, selon une étude du Pew Research Center.

a) Économie de la confiance

Pour l'Université de Louvain, en Belgique, la valeur de l'information dépendra désormais surtout du crédit que lui portera le lecteur et sera avant tout une question de confiance.

Pour un public soumis à une permissivité croissante vis-à-vis de la véracité de l'information, liée à la multiplication des sources et des interprétations, la rareté – et donc la valeur – est autant dans l'exactitude et la fiabilité de l'information que dans la confiance ressentie envers son émetteur.

« Dans une vie quotidienne submergée d'informations et de sollicitations, l'attention est la valeur-clé. Celui qui saura, par la confiance associée à ses services et à ses recommandations, faire gagner du temps bénéficiera du meilleur retour sur investissement. Nous ne sommes plus dans une économie de l'information (au sens mass media), mais dans une économie de la confiance, dans laquelle votre marché est votre communauté ou votre réseau, où la confiance est obligatoire et où la réputation et l'influence règnent », estimait récemment l'analyste stratégique en Web marketing George Benckenstein.

C'est cette fameuse confiance qui est déjà accordée à son réseau social, ses amis, ses proches et non plus à des marques passant par le marketing traditionnel.

b) Des pratiques à éliminer ?

Qu'on le veuille ou non, l'embargo de publication, l'une des pratiques les plus répandues du journalisme, est en train de disparaître. À quand la fin du « *off the record* » et des sources anonymes ?

Longtemps considéré comme un code éthique entre journalistes et un symbole du *gentlemen's agreement* passé entre une source d'informations et un média traditionnel, l'embargo n'est plus une arme de contrôle efficace de la diffusion d'informations de services de presse soucieux d'obtenir un « arrosage » maximum et simultané de leurs messages.

c) La transparence remplace l'objectivité

Les médias doivent certes continuer à viser une couverture honnête et équilibrée, mais il devient aussi important aux yeux des lecteurs de montrer désormais comment l'information est produite, qui en est la source (fin de l'anonymat), qui parle, etc.

De dévoiler les coulisses.

d) La littératie « news »

Pour contribuer à rétablir cette confiance, engager davantage le public et être plus en prise avec les citoyens, les médias devraient explorer de nouveaux territoires. Par exemple, l'éducation du public sur le rôle de médias indépendants dans la démocratie (*news litteracy*).

Le public attend des médias, en plus des informations factuelles fiables, des conseils pour se faire une opinion et agir au sein de la société.

Les médias devraient, à cet égard, arrêter la pratique des éditoriaux anonymes, voire même supprimer ces pages éditoriales pour les remplacer par des pages multimédias d'« engagement ».

En somme, la presse doit abandonner son détachement, qui peut paraître hautain, pour être véritablement « en prise » avec la société, grâce aux nouveaux outils numériques, résume Bill Densmore, responsable du programme de journalisme à l'Université de Massachusetts Amherst.

e) Aider les communautés d'intérêt à partager et à s'exprimer

Les gens qui partagent une passion ou des centres d'intérêt ne sont plus isolés : ils peuvent désormais se parler, partager des informations et les publier. Les journalistes peuvent les aider à créer des services d'information.

Une des clés du futur des médias traditionnels est de dépasser la seule fourniture d'informations pour embrasser l'activisme et devenir des outils de création de consensus.

Il s'agit bien d'une nouvelle mission de *director of community engagement*, en d'autres termes, d'organiser la conversation : aider à la navigation pour montrer ce qu'il y a d'important, recommander et donner des conseils dans lesquels on a confiance, arbitrer pour délimiter et faire respecter les règles, modérer avec une voix d'autorité, coacher pour bâtir ces communautés d'opinion et apprendre au public à mieux se servir des outils que les médias ont longtemps été les seuls à maîtriser.

Des blogs ont ainsi réussi aux USA à faire changer des lois sur des sujets que les médias traditionnels n'avaient même pas évoqués ; des groupes de jeunes réunis au centre de Minsk ont pu montrer, grâce à des photos postées sur des blogs, les méthodes de la police en Biélorussie.

Le quotidien australien *The Sydney Morning Herald* favorise des contenus encourageant l'activisme politique et social du lectorat autour de thématiques d'actualité, et lance des campagnes d'action au nom de ses lecteurs.

f) La littératie média : créer des communautés de pratiques autour de la nouvelle grammaire des médias

Nous l'avons répété, la révolution de l'information, c'est d'abord la démocratisation de l'écriture. Tout le monde a désormais son imprimerie et devient un média : la Maison-Blanche, l'Élysée, BMW, les stars d'Hollywood, les coureurs cyclistes, le blogueur, l'homme de la rue, etc.

Mais la prise de parole, l'essor de la coproduction non rémunérée s'accompagnent d'un manque de savoir faire média auquel il est possible de donner des réponses.

La possibilité de s'autopublier est probablement l'un des plus grands phénomènes actuels du secteur de la communication. Pour les médias traditionnels, une autre mission sera aussi d'alphabétiser ces natifs numériques. En commençant par différencier l'information de l'*entertainment*, donc par protéger la vérité. Puisque l'audience a pris le contrôle de nos outils, nous devons, nous les professionnels, qui les maîtrisons depuis des décennies, l'aider à s'en servir pour renforcer l'exactitude et la confiance.

Aidons le public qui manque de compétences dans la bonne utilisation des outils pour raconter le monde. Aidons-le à comprendre les nouvelles infrastructures des technologies de l'information, à interpréter les contenus, à gérer et à dépenser son attention, à faire les milliers de bons choix nécessaires quand on passe son temps disponible en ligne. Aidons-le à mieux s'armer pour savoir à qui faire confiance dans ce monde de rumeurs, d'approximations et de manipulations. Aidons-le à se familiariser avec les notions de copyrights, de diffamation, de droit à l'oubli numérique, de protection des données personnelles et de la vie privée, etc.

En 2006, l'hebdomadaire *Newsweek* s'est associé au groupe de formation Kaplan pour offrir un MBA en ligne. Le groupe de presse du Michigan Independent Newspapers a aussi démarré un programme de journalisme citoyen.

Au Danemark, le premier tabloïd *Ekstra Bladet* a lancé le Newsdesk, une plate-forme éducative ludique gratuite en ligne qui permet à des lycéens, étudiants ou professeurs d'écrire, d'éditer, de mettre en page et d'imprimer un quotidien papier. L'objectif est d'influencer sur les habitudes médias de demain en renforçant la marque auprès des jeunes sur le long terme, en accroissant leur intérêt pour l'information, et en leur faisant comprendre l'importance du journalisme et de la presse pour la démocratie.

Quatre cents classes ont déjà produit leur journal, imprimé à mille exemplaires. Des thèmes nationaux peuvent être choisis (conférence sur le climat de Copenhague, violence...). Les imprimeries du journal sont sollicitées durant les heures creuses. La moitié des écoles du Danemark ont été déjà concernées.

BIBLIOGRAPHIE

News, Improved: How Americas' Newsrooms Are Learning to Change (Tim Porter, Michele McLelllan)

Communiquer en rich media (Alain Joannès, CFPJ)

Les Outils multimédias du Web (Xavier Delengaigne et Fabrice Gontier, CFPJ)

Everything Is Miscellaneous (David Weinberger). Comment Internet, le Web 2.0, la conversation et le partage mondial d'informations ont permis un classement différent des connaissances et rendu le monde plus complexe, mais aussi plus intéressant.

The Cult of the Amateur (Andrew Keen). Comment Internet détruit notre culture et met en péril nos systèmes économiques. Le Web 2.0 est pire que ce que vous croyez.

Journalism 2.0 (Mark Briggs)

Journalism Next (Mark Briggs)

American Carnival: Journalism Under Siege in an Age of New Media (Neil Henry)

The Paradox of Choice. Why More Is Less (Barry Schwartz)

Googled: The End of the World As We Know It (Ken Auletta)

Making News in the Digital Era (David E. Henderson)

Losing the News (Alex Jones)

Why Now Is the Time to Crush It! (Gary Vaynerchuk)

The Facebook Effect (David Kirkpatrick)

The Wall Street Journal: *Guide to Information Graphics* (Dona M. Wong)

The Yahoo! Style Guide: The Ultimate Sourcebook for Writing, Editing, and Creating Content for the Digital World

Cet ouvrage a été composé
par IGS-CP à L'Isle-d'Espagnac (16)

Imprimé en France
par JOUVE
1, rue du Docteur Sauvé, 53100 Mayenne
avril 2011 - N° 651019S

JOUVE est titulaire du label imprim'vert®